POÉSIES

Émile Nelligan

POÉSIES

Préface de Louis Dantin

*Texte conforme à l'édition originale de 1904,
avec une postface, une chronologie
et une bibliographie de Réjean Beaudoin*

Boréal

Les Éditions du Boréal remercient le Conseil des Arts du Canada ainsi que le ministère du Patrimoine canadien et la SODEC pour leur soutien financier.

Illustration de la couverture : Odilon Redon, *Le Chevalier mystique,* SuperStock.

Diffusion au Canada : Dimedia
Diffusion et distribution en Europe : Les Éditions du Seuil

Données de catalogage avant publication (Canada)

　　Nelligan, Émile 1879-1941

　　Poésies

　　(Boréal compact ; 58, Classique)

　　Publ. antérieurement sous le titre : Émile Nelligan et son œuvre. Montréal : Librairie Beauchemin, 1904.

　　Comprend des réf. bibliogr.

　　ISBN 2-89052-736-0

　　I. Titre. II. Titre : Émile Nelligan et son œuvre.

PS8477.E4A17　　　1996　　C841'.4　　C95-941899-7

PS9477.E4A17　　　1996

PQ3919.N44A17　　1996

Note de l'éditeur

Le texte que nous reproduisons ici est celui d'*Émile Nelligan et son Œuvre,* édition princeps préparée par Louis Dantin et parue en 1904. Nous avons corrigé les coquilles et autres erreurs de ponctuation, de grammaire et d'orthographe, dont la plupart sont rectifiées dans un exemplaire annoté par Dantin en 1909. Lorsque le texte établi par Dantin diffère de celui des éditions critiques qui ont paru plus tard, nous maintenons toujours la version de Dantin. Nous respectons également les titres des poèmes et les faux-titres des différentes parties du recueil original de 1904 ainsi que sa mise en pages et sa disposition typographique.

PRÉFACE

par
Louis Dantin

ÉMILE NELLIGAN

Émile Nelligan est mort. Peu importe que les yeux de notre ami ne soient pas éteints, que le cœur batte encore les pulsations de la vie physique : l'âme qui nous charmait par sa mystique étrangeté, le cerveau où germait sans culture une flore de poésie puissante et rare, le cœur naïf et bon sous des dehors blasés, tout ce que Nelligan était pour nous, en somme, et tout ce que nous aimions en lui, tout cela n'est plus. La Névrose, cette divinité farouche qui donne la mort avec le génie, a tout consumé, tout emporté. Enfant gâté de ses dons, le pauvre poète est devenu sa victime. Elle l'a broyé sans merci comme Hégésippe Moreau, comme Maupassant, comme Baudelaire, comme tant d'autres auxquels Nelligan rêvait de ressembler, comme elle broiera tôt ou tard tous les rêveurs qui s'agenouillent à ses autels.

Que messieurs les poètes se rassurent pourtant ; je ne les condamne pas tous indistinctement à cette fin tragique.

Pour beaucoup, je le sais, la poésie n'est qu'un délassement délicat, auquel on veut bien permettre de charmer la vie, mais non de l'absorber ; un frisson fugitif qui n'effleure que l'épiderme de l'âme ; un excitant qu'on savoure à certaines heures, mais sans aller jusqu'à l'ivresse. Cette poésie à fleur de peau est sans danger : elle gîte chez maints messieurs rubiconds et ventrus qui fourniront une longue carrière. Mais pour d'autres — et ce sont peut-être les vrais, les seuls poètes, — la muse n'est pas seulement une amie, c'est une amante terriblement exigeante et jalouse ; il lui faut toutes les pensées, tout l'effort, tout le sang de l'âme ; c'est l'être entier qu'elle étreint et possède. Et comme elle est de nature trop éthérée pour nos tempéraments mortels, ses embrassements donnent la phtisie et la fièvre. Ce n'est plus la poésie dont on s'amuse, c'est la poésie dont on vit... et dont on meurt.

Émile Nelligan a payé son tribut à cette charmeresse adorable et tyrannique. Le papillon s'est brûlé à la flamme de son rêve. Par delà la vision cherchée et entrevue, l'esprit a rencontré la grande ténèbre. Dans sa route vers l'*ultima Thule*, la nef idéale a subi le vertige du gouffre. Nelligan avait-il le pressentiment de ce naufrage quand il nous décrivait ce

> ...Vaisseau d'or dont les flancs diaphanes,
> Révélaient des trésors que les marins profanes,
> Dégoût, Haine et Névrose, entre eux ont disputés.
> Que reste-t-il de lui dans la tempête brève ?
> Qu'est devenu mon cœur, navire déserté ?
> Hélas ! il a sombré dans l'abîme du rêve...

Il est certain qu'il l'eut, ce pressentiment ; et plus d'une fois, sous l'assaut de quelque songe obsédant, de quelque idée dominatrice, se sentant envahir d'une fatigue étrange, il nous a dit sans euphémisme : « Je mourrai fou. » « Comme Baudelaire », ajoutait-il en se redressant, et il mettait à nourrir cette sombre attente, à partager d'avance le sort de tant de névrosés sublimes, une sorte de coquetterie et de fierté. Il semblait croire qu'un rayon eût manqué sans cela à son auréole de poète. Et qui sait, après tout, s'il avait tort absolument? Qui sait si l'hommage suprême à la Beauté n'est pas le silence ébloui de l'âme dans la nuit de la parole et de la pensée? Qui sait si la lyre ne doit pas se briser après avoir tenté sur ses cordes impuissantes les symphonies de l'au-delà? Ce n'est pas d'hier que la lune, l'astre tutélaire des poètes, passe pour exercer sur le cerveau des influences bizarres. Folie, poésie : ces deux lunatismes n'en feraient-ils qu'un? C'est peut-être une idée folle que j'émets là, mais c'en est une, à coup sûr, que notre ami n'eût pas désavouée.

Je viens offrir à ce cher défunt mon hommage posthume; et ce n'est pas seulement de ma part un acte d'amitié, c'est un devoir de sagesse patriotique. Notre Canada est assez pauvre en gloires littéraires pour que nous recueillions précieusement les moindres miettes de génie tombées de notre table. Et pourtant, plus que d'autres, nous sommes ingrats envers nos gloires. Grâce à cette illusion d'optique qui fait voir merveilleux tout ce qui est lointain, les talents les plus discutables trouvent chez nous des admirateurs et des disciples, pourvu que leurs écritures soient estampillées de Charpentier ou de Lemerre. Mais nous répugnons à l'idée qu'un bon garçon que nous coudoyons tous les jours, avec qui nous prenons la goutte au petit Windsor, dont nous connaissons les faiblesses, les travers, voire les douces manies, porte en lui l'étoffe d'un Rodenbach ou d'un Rollinat. La camaraderie tue chez nous l'admiration. C'est le contraire en France, où les auteurs de tout calibre trouvent dans leurs intimes de salon ou de brasserie des *lanceurs* attitrés de leurs œuvres, où la moindre plaquette provoque dans vingt journaux les notices, les entrefilets louangeurs de critiques amis. Je crois que, sans aller à aucun excès, nous pourrions en ce pays nous prôner un peu plus les uns les autres. Ce serait pour nos débutants de lettres un encouragement précieux. Il faut bien l'avouer, toute célébrité humaine vit de réclame presque autant que de mérite. Alceste peut en gémir, mais

> Le monde par ses soins ne se changera pas.

Si donc nous voulons avoir nos grands hommes, aidons à les faire. C'est un lieu commun que la gloire est une vapeur, une fumée : encore faut-il quelqu'un pour souffler les bulles et allumer les fagots.

Je voudrais rendre à Nelligan cet humble service, absolument désintéressé puisqu'il s'adresse à un mort, et qui est, avant tout, une justice tardive. Car ce mort, très assurément, mérite de revivre. Cette vocation littéraire, l'éclosion spontanée de ce talent, la valeur de cette œuvre, tout inachevée qu'elle demeure, tiennent pour moi du prodige. J'ose dire qu'on chercherait en vain dans notre Parnasse présent et passé une âme douée au point de vue poétique comme l'était celle de cet enfant de dix-neuf ans. Sans doute, tous ces beaux dons ont fleuri à peine, mais ils furent riches de couleur et de sève dans leur épanouissement hâtif. En admettant que l'homme et l'œuvre ne soient qu'une ébauche, il faut affirmer que c'est une ébauche de génie.

Je voudrais étudier les éléments divers dont se formait ce talent primesautier et inégal, rechercher ses sources d'inspiration, démêler dans cette œuvre la part de la création originale et celle de l'imitation, caractériser la langue, le tour et le rythme de cette poésie souvent déconcertante.

Mais d'abord, j'évoque en esprit l'intéressante figure du

poète lui-même, et je revois ce type extraordinaire et curieux que fut Émile Nelligan.

Une vraie physionomie d'esthète : une tête d'Apollon rêveur et tourmenté, où la pâleur accentuait le trait net, taillé comme au ciseau dans un marbre. Des yeux très noirs, très intelligents, où rutilait l'enthousiasme; et des cheveux, oh! des cheveux à faire rêver, dressant superbement leur broussaille d'ébène, capricieuse et massive, avec des airs de crinière et d'auréole. Et pour le dire en passant, c'était déjà une singularité que cette chevelure, à notre époque où la génération des poètes chauves remplace partout la race éteinte des poètes chevelus. Nelligan, lui, se rattachait nettement, par ce côté du moins, aux romantiques de vieille roche, et sur le seul visa de sa tête, on l'eût admis d'emblée, en 1830, parmi les claqueurs d'*Hernani*.

Dans l'attitude, une fierté, d'où la pose n'était pas absente, cambrait droit le torse élégant, solennisait le mouvement et le geste, donnait au front des rehaussements inspirés et à l'œil des éclairs apocalyptiques; — à moins que, se retrouvant simplement lui-même, le jeune dieu ne redevînt le bon enfant, un peu timide, un peu négligé dans sa tenue, un peu gauche et embarrassé de ses quatre membres.

Le caractère de Nelligan cadrait bien avec cet extérieur à la fois sympathique et fantasque. Né d'un père irlandais, d'une mère canadienne-française, il sentait bouillir en lui le mélange de ces deux sangs généreux. C'était l'intelligence, la vivacité, la fougue endiablée d'un Gaulois de race, s'exaspérant du mysticisme rêveur et de la sombre mélancolie d'un barde celtique. Jugez quelle âme de feu et de poudre devait sortir de là! quelle âme aussi d'élan, d'effort intérieur, de lutte, d'illusion et de souffrance!... Supposez maintenant une telle âme s'isolant, se murant en elle-même, un tel volcan fermant toutes ses issues : n'était-il pas fatal que tout sautât dans une explosion terrible ? Mais en attendant, cela formait un cas psychologique curieux et d'un intérêt inquiétant. J'ai suivi de près ce travail d'absorption intérieure, surexcitant et paralysant à la fois toutes les facultés actives, cet envahissement noir du rêve consumant jusqu'à la moelle de l'âme, et je puis dire qu'il n'est pas de spectacle plus douloureux. Dans les derniers temps, Nelligan s'enfermait des journées entières, seul avec sa pensée en délire, et, à défaut d'excitations du dehors, s'ingéniant à torturer en lui-même les fibres du cœur les plus aiguës, ou bien à faire chanter aux êtres ambiants, aux murs, aux meubles, aux bibelots qui l'entouraient, la chanson toujours triste de ses souvenirs. La nuit, il avait des visions, soit radieuses, soit horribles : jeunes filles qui étaient à la fois des séraphins, des muses et des amantes ; ou bien spectres enragés, chats fantômes, démons sinistres qui lui soufflaient le désespoir. Chacun de ces songes prenait corps, le lendemain, dans des vers crayonnés d'une main fébrile, et où déjà, parmi des traits étincelants, la Déraison montrait sa griffe hideuse.

> Or, j'ai la vision d'ombres sanguinolentes
> Et de chevaux fougueux piaffants,
> Et c'est comme des cris de gueux, hoquets d'enfants,
> Râles d'expirations lentes.
> D'où me viennent, dis-moi, tous ces ouragans rauques,
> Rages de fifre ou de tambour ?
> On dirait des dragons en galopade au bourg
> Avec des casques flambant glauques, etc.

Mais avant d'en venir là, et de tout temps, Émile avait été un être sensitif, tout d'impression et de caprice, très attirant par sa belle naïveté et très déroutant par ses saillies. Un grand fond de tendresse s'alliait chez lui à une réserve un peu froide qui l'empêchait de se livrer entièrement, même à ses plus intimes. Deux ou trois sonnets à sa mère montrent qu'il avait gardé toute la fraîcheur du sentiment filial ; et cette mère le méritait bien, car il trouvait en elle, avec d'inaltérables pardons pour ses jeunes fredaines, un sens littéraire délicat et sûr, capable de vibrer à l'unisson du sien. De même, il a souvent chanté ses jeunes sœurs en des strophes affectueuses et charmantes. À ses camarades en poésie, aux amis que lui faisait la recherche commune de l'Art, il montrait assez son attachement par de fréquentes et souvent interminables visites. C'était dans leur cénacle qu'il faisait lecture de ses nouvelles inspirations ; et il fallait voir avec quel feu obstiné il se défendait contre l'assaut critique que ne manquait pas d'exciter chacune de ses pièces ! Jamais pourtant il ne leur tint rancune de leur sévérité, et souvent il ratura en secret le mot qu'il avait soutenu devant eux avec la dernière énergie. Il se vengeait en leur dédiant, sous des titres sonores, les diverses parties de ce livre qui fut son rêve, et qui, hélas ! ne fut que cela...

Comme désintéressement, comme dédain profond de tout ce qui est matériel et pratique, comme amour exclusif de l'art et de l'idée pure, il était simplement sublime. Jamais il ne put s'astreindre, cela va sans dire, à aucun travail suivi. Le collège de Montréal, et plus tard celui des Jésuites, eurent en lui un élève d'une paresse et d'une indiscipline rares. Il dut finalement laisser à mi-chemin des études où Musset et Lamartine avaient beaucoup plus de part que le *Gradus ad Parnassum*.

Dès lors, gagner sa vie lui parut la dernière occupation d'un être humain. C'était sa conviction ferme que l'artiste a droit à la vie, et que les mortels vulgaires doivent se trouver très honorés de la lui garder. Aussi, toute démarche

d'affaires, toute sollicitation intéressée, même la plus discrète, révoltait-elle sa fière nature. S'il eut un désir en ce
monde, ce fut bien de voir publier ses vers. Or, plus d'un
protecteur l'eût aidé de son influence et de ses ressources : il
eût suffi pour cela d'une demande ; jamais il ne consentit à
la faire. « S'ils croient, disait-il, que je vais me traîner à leurs
pieds ! Mon livre fera son chemin tout seul... »

Ce n'est pas non plus à un éditeur quelconque qu'il eût
livré ses manuscrits. Quand j'en suggérais un, d'aventure,
parmi nos libraires montréalais ; « Peuh ! faisait-il dédai-
gneusement, sait-il bien imprimer les vers ? J'enverrai mes
cahiers à Paris... »

On voit avec quelle naïveté Nelligan croyait au règne
souverain de l'art sur la vile matière. La vie, telle qu'il se la
faisait, devait être une longue rêverie, une longue fusée
d'enthousiasme, une mélancolie voulue et cultivée, interrompue seulement par les éclats momentanés d'une gaieté
bohème.

La bohème ! Ce mot était pour lui un idéal. Et pourtant,
le dirai-je ? Nelligan ne fut jamais un bohème parfaitement
authentique. Il avait, certes, l'ambition de passer pour très
rosse ; on lui eût fait la pire injure en le trouvant bien élevé.
Mais sa *rosserie* était trop étudiée, trop convenue, trop faite
de lecture et d'imitation. Des cheveux esbrouffés, une
redingote en désordre et des doigts tachés d'encre, voilà
surtout en quoi elle consistait.

Du reste, il avait trop gardé l'empreinte de son éducation de famille, il avait l'amour et le respect de trop de
choses, trop de timidité aussi et de naturelle réserve, pour
vivre au naturel l'être libre, gouailleur et cynique que doit
être un bohème de race. J'entends, d'ailleurs, faire de cette
impuissance un éloge ; car la bohème, tout amusante qu'elle

soit par le dehors, n'est pas, tant s'en faut, admirable à tous points de vue. Elle étouffe, chez les Schaunards qu'elle enfante, beaucoup plus de sens esthétique qu'elle n'en développe. La chope de bière et Mimi Pinson sont, en général, une pauvre école pour l'esprit. Mais il était curieux de noter cette séduction du hardi, de l'aventureux, de l'imprévu, de l'impossible, sur une âme aussi naturellement solitaire et mystique que l'était celle de Nelligan.

II

J'ai tracé le profil du poète : j'en viens à esquisser la physionomie de l'œuvre. Et d'abord, quelle idée l'inspire et la domine ? Quelle philosophie s'en dégage ? Y a-t-il, dans ces deux ou trois mille vers de thèmes et d'allures si variés, un but poursuivi, une pensée maîtresse, une théorie quelconque sur l'âme, sur la vie, sur la société, sur l'art ? Personne n'eût été plus embarrassé de le dire que Nelligan lui-même. En fait, l'art n'eut jamais pour lui aucun dessous ; il fit de la poésie comme le rossignol fait des trilles, sans y entendre plus de malice. Et comme la poésie est un peu partout, il y a dans cette poésie un peu de tout. Il y a de la foi et du doute, de l'adoration et du blasphème, de l'amour et de la révolte, de la pitié et du mépris. C'est une mosaïque d'idées dont la marqueterie bizarre admet tous les contrastes, un réseau qui s'emmêle en labyrinthe, un corps chimique dont les atomes, violemment appariés, se heurtent et s'excluent.

Il est croyant jusqu'à la dévotion, et il chante la communion de Pâques avec la ferveur d'une pensionnaire :

> Douceur, douceur mystique! ô la douceur qui pleut!
> Est-ce que dans nos cœurs est tombé le ciel bleu?
>
> Tout le ciel, ce dimanche, à la messe de Pâques,
> Dissipant le brouillard des tristesses opaques;
>
> Plein d'Archanges, porteurs triomphaux d'encensoirs,
> Porteurs d'urnes de paix, porteurs d'urnes d'espoirs...
>
> Serait-ce qu'un nouvel Éden s'opère en nous,
> Pendant que le *Sanctus* nous prosterne à genoux,
>
> Et pendant que nos yeux, sous les lueurs rosées,
> Deviennent des miroirs d'âmes séraphisées?...

Tournez la page : voici *La Mort de la Prière*, et le poète, oubliant soudain son *Credo*, se dit hypnotisé par Voltaire, qu'entre nous il n'a jamais lu :

> Il entend lui venir, comme un divin reproche,
> Sur un thème qui pleure, angéliquement doux,
> Des conseils l'invitant à prier... une cloche !
> Mais Arouet est là, qui lui tient les genoux.

Il entend bien aller au ciel, en compagnie de Cécile, sa sainte bien-aimée :

> Je ne veux plus pécher, je ne veux plus jouir,
> Car la sainte m'a dit que pour encore l'ouïr,
> Il me fallait vaquer à mon salut sur terre.
>
> Et je veux retourner au prochain récital
> Qu'elle me doit donner au pays planétaire,
> Quand les anges m'auront sorti de l'hôpital.

Mais s'il se fourvoie en enfer, il prendra la chose gaiement :

Puisque le Ciel me prend en grippe,
(N'ai-je pourtant assez souffert?)
Les pieds sur les chenets de fer,
Devant un bock, rêvons, ma pipe.

Preste, la mort que j'anticipe
Va me tirer de cet enfer
Pour celui du vieux Lucifer.
Soit! nous fumerons chez ce type,

Les pieds sur les chenets de fer.

Il paraît adorer les moines et moinesses, et il célèbre le *Bénédictin mourant* et les *Carmélites*:

Parmi le deuil du cloître, elles vont, solennelles,
Et leurs pas font courir un frisson sur les dalles
Cependant que, du bruit funèbre des sandales,
Monte un peu la rumeur chaste qui chante en elles.

Néanmoins, voici le portrait peu flatté qu'il trace de la vie contemplative :

Leur visage est funèbre, et dans leurs yeux sereins
Comme les horizons vastes des cieux marins,
Flambe l'austérité des froides habitudes.

L'imposture céleste emplit leur large esprit :
Car seul l'Espoir menteur creusa les solitudes
De ces silencieux spectres de Jésus-Christ.

Pour comble, et pour montrer combien, au fond, tout cela lui est parfaitement égal, ce dernier tercet, à son tour, se transforme ainsi dans une rédaction postérieure :

La lumière céleste emplit leur large esprit,
Car l'Espoir triomphant creusa les solitudes
De ces silencieux spectres de Jésus-Christ.

Espoir menteur, espoir triomphant, c'est pour cet artisan de rimes une simple question d'épithètes. Puis, comme il a l'oreille très fine, et qu'il s'entend comme pas un à la nuance, au lieu du titre primitif de la pièce : *Les Moines noirs,* évoquant une idée d'ignorance et de ténèbres, ce sera désormais : *Les Moines blancs,* où flotte une vision d'idéal et de clarté. Voilà bien, à la lettre, soutenir le blanc et le noir ; mais l'harmonie est sauve, et c'est l'essentiel.

Nelligan se contredit ainsi sans respect humain chaque fois qu'il aborde une thèse quelconque. Voyant tout au point de vue de l'effet, du pittoresque, il peut fixer dans ses tableaux les aspects les plus contraires des choses : ce ne sont à ses yeux que jeux d'ombre et de lumière. Il n'y a rien en lui d'un poète philosophe comme Vigny ou Sully-Prud'homme, rien d'un poète moraliste ou humanitaire comme Hugo ou Coppée. Sa fantaisie est son dogme, sa morale et son esthétique, ce qui revient à n'en pas avoir du tout. S'il parle, c'est pour exprimer, non des idées dont il n'a cure, mais des émotions, des états d'âme, et parmi ces états, tout ce qu'il y a de plus irréel, de plus vague et de moins réductible aux lois de la pensée. Il a lui-même noté ce trait typique de son esprit dans des vers d'une imprécision délicieuse :

> Ma pensée est couleur de lumières lointaines,
> Du fond de quelque crypte aux vagues profondeurs ;
> Elle a l'éclat parfois des subtiles verdeurs
> D'un golfe où le soleil abaisse ses antennes.

> En un jardin sonore, au soupir des fontaines,
> Elle a vécu dans les soirs doux, dans les odeurs ;
> Ma pensée est couleur de lumières lointaines,
> Du fond de quelque crypte aux vagues profondeurs.

Elle court à jamais les blanches prétentaines,
Au pays angélique où montent ses ardeurs ;
Et, loin de la matière et des brutes laideurs,
Elle rêve l'essor aux célestes Athènes.

Ma pensée est couleur de lunes d'or lointaines.

Bien malin qui tirera de là une doctrine, et qui fera un bloc de cette poussière d'idées. Mais aussi, comme l'idée importe peu quand la fantaisie s'envole avec cette subtilité, cette grâce, et se rythme en aussi délicates sonorités. Nous avons ici, c'est clair, de la musique pure : c'est comme la transcription en notes prosodiques d'une *Romance sans paroles* de Mendelssohn. Et tout notre poète est là. Cette lacune énorme, l'absence d'idées, devient chez lui presque du génie. L'idée absente laisse toute la place aux effluves du sentiment et aux richesses de la ciselure. Si l'œuvre d'art n'est pas un bas-relief où l'histoire se grave en traits définis et fermes, c'est un camée où Benvenuto, de la fine pointe du stylet, trace un enroulement de chimères.

Cette nullité d'idées, philosophiques ou autres, dispense Nelligan de toute érudition sérieuse. En fait, sa culture historique, scientifique, artistique même, tient toute dans un lobe de l'arrière-fond de son cerveau. Il n'a lu que les poètes, et il ne sait de toutes choses que ce qu'il en apprend chez eux.

De là, des ignorances et des bévues qui font sourire. Les notions, incomplètes, se mêlent un peu dans sa tête, aussi prompte à saisir que peu apte à creuser et à classer.

Il aime la musique, d'une passion que je crois sincère, car cet art est frère de son rythme et de sa mélancolie.

Rien ne captive autant que ce particulier
Charme de la musique où ma langueur s'adore.

Mais s'il en vient à nommer ses maîtres de choix, il placera au même rang, sans souci d'accoler des antipodes, Liszt, Mozart, Chopin, Haydn, Paderewski. Je le soupçonne, au fond, de les ignorer tous et de n'en parler que par ouï-dire. Ces noms, évidemment, n'ont pour lui rien de très précis; ils n'offrent aucun sens d'école ou de genre différents : ils sont synonymes de *musique*, et voilà tout.

De même pour la peinture. Rubens, le peintre des lourdeurs flamandes, le joyeux compère à la verve rabelaisienne et sanguine, est sous sa plume une espèce d'Angelico idéaliste. S'il veut sonnettiser *Gretchen la pâle*, il dira :

> Elle est de la beauté des profils de Rubens
> Dont la majesté calme à la sienne s'incline.

Les profils de Rubens sont d'une majesté de matrones repues, et, en fait de pâleur, ont celle des lendemains d'orgie. Mais passons. Nelligan avait dix-neuf ans, et n'avait jamais vu le Louvre. Ces inexpériences trahissent la jeunesse, et rien de plus.

Ce qui est plus grave, et l'eût aisément détourné de sa vraie voie, c'est que, voulant, malgré tout, «avoir des idées», il se soit parfois contenté de celles d'autrui. Non pas qu'il ait plagié personne : j'ai cherché vainement, en feuilletant son œuvre, à le surprendre là-dessus; — mais il a imité, au hasard de ses lectures et de ses réminiscences. Il a emprunté à d'autres poètes, non des formes, mais des sujets, des inspirations dont il n'avait que faire, au lieu de cultiver sa riche et puissante originalité. Il s'est cru obligé d'écrire, après Hérédia, des «sonnets impassibles», et après Richepin, de petits *Blasphèmes*. Il a offert en libation à Rollinat l'*Idiot putride*. Si encore il ne s'inspirait que d'auteurs apparentés à son talent! Mais il imite Coppée, mais il imite Veuillot! Je lui prêtai un jour les *Couleuvres*, et je ne sais pourquoi il fut frappé d'un morceau médiocre intitulé : *Pierre Hernschem*. Ce dernier nom, sans doute, lui parut d'un éternuement délicat et le ravit par son exotisme. Le lendemain, Nelligan m'arrivait avec la *Mort du Moine*, un pur décalque ! Hernschem était devenu Wysinteiner, et avait échangé la coule de saint Dominique pour le capuce de saint Benoît : ce n'était vraiment pas la peine. Je refusai d'avaler cette fausse couleuvre.

Il a dédié à Coppée ses *Balsamines* : il n'est que juste qu'elles lui retournent, car elles viennent de lui ; j'entends, par la donnée, par la mièvrerie sentimentale, non par le style, qui s'entrave ici d'une solennité lourde.

Il a commis souvent de ces emprunts maladroits, quoique honnêtes. Ils sont toujours reconnaissables : ils n'ont pas jailli de source, ils manquent de sincérité et sont décidément inférieurs. Nelligan n'est plus rien qui vaille quand il n'est pas pleinement lui-même.

Je coudrais dans ce sac, pour les vouer au fleuve d'oubli, cinq ou six bergeries qui semblent procéder de Laprade, et la bonne moitié de ces « intérieurs » ayant la prétention de nous ouvrir, dans le moindre bahut ou la plus banale horloge, des mystères sans fond. Cette poésie du mobilier a pu inspirer de jolies pièces, mais elle est artificielle et bien usée. Nelligan ne l'a pas toujours rajeunie. Toutefois, il a dans ce genre une *Vieille Armoire* passable, un *Potiche* suffisamment égyptien, et surtout un *Éventail* de facture achevée, qui, à lui seul, ferait pardonner tous les autres :

> Dans le salon ancien à guipure fanée
> Où fleurit le brocart des sophas de Niphon,
> Tout peint de grands lys d'or, ce glorieux chiffon
> Survit aux bals défunts des dames de lignée.

> Mais, ô deuil triomphal ! l'autruche surannée
> S'effrange sous les pieds de bronze d'un griffon,
> Dans le salon ancien à guipure fanée
> Où fleurit le brocart des sophas de Niphon.

C'est pittoresque comme détail et impeccable comme prosodie : le plus scrupuleux des parnassiens signerait cela.

Je regrette que Nelligan n'ait pas au moins démarqué la part imitative de son œuvre en donnant un cachet canadien à ses ressouvenirs étrangers, ou, plus généralement, qu'il n'ait pas pris plus près de lui ses sources habituelles d'inspiration. Sa poésie y eût gagné, certes, en personnalité et en vérité. Pourquoi tous ces bibelots de Saxe, et tous ces vases étrusques, et toutes ces dentelles de Malines ? Pourquoi sa tristesse même est-elle toujours hantée du souvenir de Baudelaire, de Gérard de Nerval et autres « poètes maudits » ? S'il fallait imiter ces grands hommes, c'était en chantant, à leur exemple, la nature et les âmes qui l'entouraient, et avant tout son propre cœur. L'essai d'un art indépendant et franchement national n'a pas encore été, chez nous, sérieusement tenté. Nous avons des artistes qui font rouler les strophes avec une belle majesté, d'autres qui sertissent les syllabes en orfèvres patients et habiles ; mais que n'emploient-ils leur talent à dire notre nature canadienne, la beauté typique de nos fleuves, de nos forêts, la grâce ou l'horreur de nos paysages ? Je ne vois partout que des sonnets turcs ou magyars, sans compter ceux qui ne sont d'aucun pays. Il me semble que le sonnet iroquois aurait bien aussi sa saveur, et que Peribonka, Michilimakinac, seraient d'assez bons prétextes à la rime rare. Après tout, nous ne décrirons pas l'Orient mieux que Loti, ni l'Inde mieux que Leconte de Lisle : mais nous pouvons enchâsser dans des vers flambant neufs le frisson de nos glaces, le calme de nos lacs immenses, la gaieté blanche de nos foyers; et l'absence même de prédécesseurs et de modèles nous forcera d'être nous-mêmes. Et l'âme canadienne, tout en étant moins compliquée que d'autres, n'a-t-elle pas aussi ses mystères, ses amours, ses mélancolies, ses désespérances? — Je ne prêche pas ici le patriotisme; je parle au point de vue purement littéraire, et je crois qu'en négligeant les sources d'inspiration nationale, nos auteurs se ferment le chemin de l'originalité vraie et complète.

Il n'y a que Pamphile Lemay, que je sache, dont la vision poétique se soit nettement restreinte aux hommes et aux choses de notre pays: malheureusement, chez lui, la forme n'est pas toujours à la hauteur de la pensée. Nelligan, lui, avait la forme, et eût pu nous donner une œuvre nationale d'une entière et vivante nouveauté.

III

J'ai dit assez ce que n'est pas la poésie de Nelligan : j'ai hâte de dire ce qu'elle est. Car, pour être flottante, ne croyez pas qu'elle soit vide : seulement elle est remplie de choses légères comme elle, de soupirs, de sons et de parfums. Souvent, si elle dédaigne l'idée, c'est qu'elle la dépasse, pour la retrouver dans une transcendance plus haute. C'est de plein gré qu'elle s'exfolie de la lourdeur touffue des thèses, et toute la sève monte à la fleur, qui est le sentiment, qui est le rêve. Quel sentiment et quel rêve : c'est ce que je voudrais définir.

D'abord, le poète sort rarement de lui-même. C'est un *subjectif*, et les spectacles de l'âme l'intéressent beaucoup plus que le *cosmos* extérieur. C'est un solitaire, et il ne ressent que médiocrement les mille sympathies des êtres. C'est un égoïste, en somme : il ne va pas aux choses, il les attire en lui et n'est sensible qu'au choc qu'il en reçoit. Ce n'est pas lui qui pourrait dire :

> J'ai voulu tout aimer, et je suis malheureux
> Car j'ai de mes tourments multiplié les causes.
> D'innombrables liens, frêles et douloureux,
> Dans l'univers entier vont de mon âme aux choses.

Pourtant, quand il consent à s'extérioriser, à regarder autour de lui, il a souvent, à défaut de tendresse, l'imagination et la grâce. Par un singulier dédoublement, cette plume, trempée tout à l'heure dans l'angoisse intime, en vient à dessiner, sans un tremblement, de jolis portraits, d'une beauté calme et plastique, ou des natures mortes d'une observation presque savante. Dites-moi si ce *Petit Vitrail* ne tamise pas jusqu'à vous la lumière recueillie des nefs gothiques :

> Jésus à barbe blonde, aux yeux de saphir tendre,
> Sourit dans un vitrail ancien du défunt chœur,
> Parmi le vol sacré des chérubins en chœur
> Qui se penchent vers Lui pour l'aimer et l'entendre.
> Des oiseaux de Sion aux claires ailes calmes
> Sont là dans le soleil qui poudroie en délire,
> Et c'est doux comme un vers de maître sur la lyre
> De voir ainsi, parmi l'arabesque des palmes,
> Dans ce petit vitrail où le soir va descendre,
> Sourire en sa bonté mystique, au fond du chœur,
> Le Christ à barbe d'or, aux yeux de saphir tendre.

Et ce *Placet pour des cheveux*, ne vous rappelle-t-il pas la préciosité de Rostand, en même temps que ses acrobaties rythmiques ?

> Reine, acquiescez-vous qu'une boucle déferle
> Des lames des cheveux aux lames du ciseau,
> Pour que j'y puisse humer un peu de chant d'oiseau,
> Un peu de soir d'amour né de vos yeux de perle ?

Au bosquet de mon cœur, en des trilles de merle,
Votre âme a fait chanter sa flûte de roseau.
Reine, acquiescez-vous qu'une boucle déferle
Des lames des cheveux aux lames du ciseau?

Fleur soyeuse, aux parfums de rose, lys ou berle,
Je vous la remettrai, secrète comme un sceau,
Fût-ce en Éden, au jour que nous prendrons vaisseau
Sur la mer idéale où l'ouragan se ferle.

Reine, acquiescez-vous qu'une boucle déferle?

Le *Roi du Souper,* les *Roses d'hiver, Fantaisie blonde, Violon de villanelle,* sont autant de tableaux gracieux, montrant le poète en communion passagère avec le monde et la vie. Cette sympathie va même jusqu'à la pitié; mais alors, comme par un retour instinctif, la pitié s'attendrit surtout sur le mal terrible qui déjà ronge le poète. Il y a de l'émotion humaine dans l'*Idiote aux Cloches*, et dans l'étrange complainte intitulée *Le Fou* :

Gondolar! Gondolar!
Tu n'es plus sur le chemin très tard.

On assassina l'pauvre idiot,
On l'écrasa sous un chariot,
Et puis l'chien après l'idiot.

On leur fit un grand, grand trou là.
Dies iræ, dies illa.
À genoux devant ce trou-là!

Je l'ai dit, ces excursions sur le royaume extérieur sont rares. Presque toujours, la poésie de Nelligan s'isole, s'emprisonne, ferme les yeux, et se gémit elle-même. Car alors, ce qui est son fond essentiel, c'est une tristesse sombre et désolée. Non la tristesse qui flotte, vaporeuse et douce, sur l'âme des purs mélancoliques ; — non celle qui s'amollit, comme chez Rodenbach, de la suavité des souvenirs ; — non plus celle qui se justifie et se raisonne, comme chez les grands pessimistes ; — mais la tristesse sans objet, sans cause, et dès lors sans consolation ; lame implacable et froide enfoncée jusqu'au vif du cœur ; torture aiguë, amère, enfiévrée et desséchante, n'ayant pas même l'orgueil de la force stoïque ou le soulagement des larmes.

De l'âme où elle a son centre morbide, cette tristesse s'épand sur les êtres et les enveloppe d'un voile de deuil. Sa vision des choses passe toute par la raie obscure du prisme. Elle promène sur tout ce qui est vie, lumière, éclat, son éteignoir funèbre ; elle ensevelit l'univers dans son propre tombeau. Envers la joie, l'amour, l'action, tout ce qui attire et invite, elle se fait défiante, presque haineuse. Elle flaire un piège dans les fleurs et les astres, et si elle leur prête ses langueurs, c'est sans en recevoir ni en attendre de pitié. Elle souffre également du réel et de l'idéal, de la nature et de l'homme, de l'esprit et de la chair, de la laideur et de la beauté. La mort elle-même, cette grande libératrice, est repoussée comme une marâtre. Ainsi cette souffrance envahit tout, s'assimile tout, s'exacerbe et grandit de toutes les victimes qu'elle s'immole.

Ah ! comme Nelligan l'a vécue, cette douloureuse tristesse, et comme il faut l'en plaindre ! Mais aussi, quand il s'y livre, quelle sincérité poignante elle apporte à son art ! Alors plus de labeur visible, plus de ciselures d'emprunt : c'est le frisson, l'effroi primitif d'une âme déchirée et enténébrée. Le cri élégiaque jaillit des profondeurs et vient nous remuer aux fibres. Ces distiques, par exemple, ne sont-ils pas de purs sanglots ?

Comme des larmes d'or qui de mon cœur s'égouttent,
Feuilles de mes bonheurs, vous tombez toutes, toutes.

Vous tombez au jardin de vie où je m'en vais,
Où je vais, les cheveux au vent des jours mauvais.

Vous tombez de l'intime arbre blanc, abattues
Çà et là, n'importe où, dans l'allée aux statues.

Couleur de jours anciens, de mes robes d'enfant,
Quand les grands vents d'automne ont sonné l'olifant.

Et vous tombez toujours, mêlant vos agonies,
Vous tombez, mariant, pâles, vos harmonies.

Vous avez chu dans l'aube aux sillons des chemins,
Vous pleuvez de mes yeux, vous tombez de mes mains.

Comme des larmes d'or qui de mon cœur s'égouttent,
Dans mes vingt ans déserts vous tombez toutes, toutes.

Le poète revêt de toutes les formes et de toutes les nuances de l'ombre sa mélancolie désespérée. En tout il la retrouve et la salue comme une connaissance familière. Il n'y a pas de façon plus navrante de conjuguer le verbe « souffrir ».

C'est le regret d'être au monde et d'avoir affronté l'ennui de vivre :

Quand je n'étais qu'au seuil de ce monde mauvais,
Berceau, que n'as-tu fait pour moi tes draps funèbres ?
Ma vie est un blason sur des murs de ténèbres,
Et mes pas sont fautifs où maintenant je vais.

Ah ! que n'a-t-on tiré mon linceul de tes langes
Et mon petit cercueil de ton bois frêle et blanc,
Alors que se penchait sur ma vie, en tremblant,
Ma mère souriante avec l'essaim des anges ?

C'est le regret de son enfance heureuse. Ah ! comme il la

pleure, cette enfance de bon petit garçon, insouciant et pur, alors que la vie dérobait ses trahisons prochaines, et que la Poésie cruelle ne l'avait pas encore aimé!

> Par les hivers anciens, quand nous portions la robe,
> Tout petits, frais, rosés, tapageurs et joufflus,
> Avec nos grands albums, hélas! que l'on n'a plus,
> Comme on croyait déjà posséder tout le globe!
>
> Assis en rond, le soir, au coin du feu, par groupes,
> Image sur image, alors combien joyeux
> Nous feuilletions, voyant, la gloire dans les yeux,
> Passer de beaux dragons qui chevauchaient en troupes.
>
> Je fus de ces heureux d'alors. Mais aujourd'hui,
> Les pieds sur les chenets, le front terne d'ennui,
> Moi qui me sens toujours l'amertume dans l'âme,
> J'aperçois défiler, dans un album de flamme,
> Ma jeunesse qui va, comme un soldat passant
> Au champ noir de la vie, arme au poing, toute en sang!

C'est l'amertume du Présent, ses soucis, ses étranges angoisses:

> La Détresse a jeté sur mon cœur ses noirs voiles
> Et les croassements de ses corbeaux latents;
> Et je rêve toujours au vaisseau des Vingt ans,
> Depuis qu'il a sombré dans la mer des étoiles.
>
> Ah! quand pourrai-je encor comme des crucifix
> Étreindre entre mes doigts les chères paix anciennes,
> Dont je n'entends jamais les voix musiciennes
> Monter dans tout le trouble où je geins, où je vis!

C'est la nostalgie de pays inconnus, où tout serait idée et lumière, et dont le lointain désespère son désir:

> Et nos cœurs sont profonds et vides comme un gouffre.
> Ma chère, allons-nous-en, tu souffres et je souffre.

Fuyons vers le castel de nos Idéals blancs,
Oui, fuyons la Matière aux yeux ensorcelants.

Aux plages de Thulé, vers l'île des Mensonges,
Sur la nef des vingt ans fuyons comme des songes.

Il est un pays d'or plein de lieds et d'oiseaux ;
Nous dormirons tous deux au frais lit des roseaux.

Nous nous reposerons des intimes désastres
Dans des rythmes de flûtes, à la valse des astres.

Fuyons vers le château de nos Idéals blancs ;
Oh ! fuyons la Matière aux yeux ensorcelants.

Veux-tu mourir, dis-moi ? tu souffres et je souffre,
Et nos cœurs sont profonds et vides comme un gouffre.

C'est la sensation vive du néant de tout, et de la fin déplorable de ce qu'on aime :

Voici que vient l'amour de mai :
Vivez-le vite, le cœur gai,
    Larivarite et lalari.
Ils tombent tôt les jours méchants,
Vous cesserez aussi vos chants ;
Dans le cercueil il faudra ça,
        Ça,
        Lalari
Belles de vingt ans au cœur d'or,
L'amour, sachez-le, tôt s'endort,
    Larivarite et lalari !

C'est la mélancolie qui émane des choses, et qui rend leur contact cuisant et douloureux :

Pour ne pas voir choir les roses d'automne
Cloître ton cœur mort en mon cœur tué.
Vers des soirs souffrants mon deuil s'est rué
Parallèlement au mois monotone.

Le carmin pâli de la fleur détonne
Dans le bois dolent de roux ponctué.
Pour ne pas voir choir les roses d'automne
Cloître ton cœur mort en mon cœur tué.

Là-bas, les cyprès ont l'aspect atone :
À leur ombre on est vite habitué.
Sous terre un lit frais s'ouvre situé,
Nous y dormirons tous deux, ma mignonne,

Pour ne pas voir choir les roses d'automne.

C'est la duperie de la joie elle-même, par laquelle l'âme cherche en vain à tromper sa douleur intime :

Pendant que tout l'azur s'étoile dans la gloire,
Et qu'un hymne s'entonne au renouveau doré,
Sur le jour expirant je n'ai donc pas pleuré,
Moi qui marche à tâtons dans ma jeunesse noire !

Je suis gai ! je suis gai ! Vive le soir de mai !
Je suis follement gai, sans être pourtant ivre !...
Serait-ce que je suis enfin heureux de vivre ?
Enfin mon cœur est-il guéri d'avoir aimé ?

Les cloches ont chanté ; le vent du soir odore...
Et pendant que le vin ruisselle à joyeux flots,
Je suis si gai, si gai, dans mon rire sonore,
Oh ! si gai, que j'ai peur d'éclater en sanglots !

Ainsi, toute cette poésie n'est qu'un reflet de l'universelle souffrance, un écho du *Vanitas vanitatum* antique, mais singulièrement aigri par l'outrance d'une sensibilité toute moderne. Et comment donc la disais-je étrangère à toute philosophie ? La souffrance n'est-elle pas le grand fait, la grande loi humaine ? Dans la plainte âpre et désolée qui siffle entre ces strophes, il y a tout Schopenhauer, tout Job aussi, l'auteur le plus pessimiste qui soit au monde, et le moins lu, après Baruch.

IV

Il est banal de rappeler que l'art est avant tout la splendeur vivante de la forme. En poésie, comme en peinture, le style n'est pas seulement tout l'homme, il est presque toute l'œuvre. Je dois donc, pour compléter cette étude, apprécier Nelligan à ce point de vue, rechercher sa filiation littéraire, analyser sa langue poétique dans ses éléments constitutifs : phrase, image, rythme et prosodie, le juger en un mot comme styliste et comme écrivain.

Ici, je suis à l'aise pour louer notre jeune poète, avec seulement quelques réserves ; — car sa gloire est surtout d'avoir fondu une pensée parfois hésitante et impersonnelle dans un moule précieux et rare. C'est par là surtout que son œuvre, en tenant compte des circonstances, revêt un caractère prestigieux, qu'on y voit éclater quelque chose de plus que le talent, que l'aptitude, que l'habileté acquise : je veux dire le *don*, ce présent direct et purement gratuit de la mystérieuse Nature.

Car, je l'ai dit plus haut, Nelligan n'a rien appris, et la grammaire pas plus que le reste. Cela se voit, il faut l'avouer, en plus d'une page de ses écritures. La syntaxe n'est pas son fort, et ce fut un malheur pour lui d'être venu au monde avant la simplification de l'orthographe. Mais ce qui étonne, c'est qu'il possède avec cela un vocabulaire d'une éblouissante richesse ; c'est que sous sa plume abondent les tournures délicates et savantes ; c'est que cet étranger connaît toutes les finesses d'une langue dont il ignore le rudiment. De là résulte un curieux mélange de naïvetés grammaticales et de raffinements stylesques. Les unes sont de l'écolier paresseux et peu ferré sur les participes ; les autres de l'artiste instinctif, que guide une science quasi infuse.

Quant à ses parentés littéraires, elles sont multiples et fort diverses. On s'est habitué à voir en lui un *décadent*, un tenant de l'école dont Rimbaud, Mallarmé, Verlaine furent les coryphées, et qui, de Rodenbach à Viellé-Griffin, a compté depuis d'illustres représentants. L'on ne peut nier, en effet, qu'il ait subi l'influence de ces hardis créateurs de formules nouvelles. Il se peut même que le symbolisme pur ait inspiré telle ou telle pièce comme *La belle Morte*, d'une prosodie irrégulière et d'une étrangeté voulue :

> Ah ! la belle morte ! elle repose.
> En Éden blanc un ange la pose.
>
> Elle sommeille emmi les pervenches
> Comme en une chapelle aux dimanches.
>
> Ses cheveux sont couleur de la cendre ;
> Son cercueil on vient de le descendre.
>
> Et ses beaux yeux verts que la mort fausse
> Feront un clair de lune en sa fosse.

C'est encore un ressouvenir de Verlaine, et même du point extrême par où le *verlainisme* touche à la fumisterie, que cette fin du sonnet intitulé *Les Corbeaux*.

> Or, cette proie échue à ces démons des nuits,
> N'était autre que ma vie en loque, aux ennuis
> Vastes qui vont tournant sur elle ainsi toujours,
>
> Déchirant à larges coups de bec, sans quartier,
> Mon âme, une charogne éparse au champ des jours,
> Que ces vieux corbeaux dévoreront en entier.

Mais il y a pourtant entre le style de Nelligan et les procédés de «l'art futur» des divergences essentielles. Dans un libre très convaincu et très ferme qu'il vient d'écrire à la défense de la *Poésie Nouvelle*, M. Beaunier réduit à deux les oppositions radicales entre l'école symboliste et l'école parnassienne, sa rivale la plus en vue. Celle-ci, dit-il, s'attache à la *notation directe* des choses, par le trait net, exact et précis; celle-là exprime les choses par leurs reflets, leurs signes, leurs équivalents et leurs symboles. — L'une pousse jusqu'au scrupule la perfection de la rime et de la prosodie; elle affectionne les formes fixes, qui asservissent le poète aux lois de rythmes compliqués et difficiles. — L'autre a pour formule le *vers libre*, dégagé de toutes les règles traditionnelles, remplaçant la rime par l'assonance et gardant dans le choix et la combinaison des rythmes l'indépendance la plus entière.

Or il est aisé de voir que Nelligan, souvent symboliste par sa conception des entités poétiques, est presque toujours parnassien par leur expression. Il a le goût très vif de cette musique savante à laquelle les «jeunes» voudraient substituer la simple voix des brises et des flots. Il n'a jamais suivi ce précepte capital de l'*Art poétique* de Verlaine :

> Mais avant tout préfère l'impair
> Plus vague et plus soluble dans l'air,
> Sans rien en lui qui pèse ou qui pose.

Il rime le vieil alexandrin, avec les seules licences autorisées par Hugo[1], et il le rime richement, royalement même, à la façon de Banville, de Gautier, et de Hérédia. Le sonnet et le rondel, ces formes classiques par excellence, ont toutes ses prédilections.

Ainsi, de ses attaches symbolistes et de son culte parnassien, naît une originalité composite, assez bien balancée toutefois, et qui embrasse et élargit l'un et l'autre genres. *Jardin d'antan* est, ce me semble, un exemple typique de cet alliage :

> Rien n'est plus doux aussi que de s'en revenir,
>   Comme après de longs ans d'absence,
>   Que de s'en revenir
>   Par le chemin du souvenir
>   Fleuri de lys d'innocence
>   Au jardin de l'Enfance.
>
> Au jardin clos, scellé, dans le jardin muet
>   D'où s'enfuirent les gaîtés franches,
>   Notre jardin muet,
>   Et la danse du menuet
>   Qu'autrefois menaient sous branches
>   Nos sœurs en robes blanches.

---

1. Il faut excepter pourtant la loi de l'alternance des rimes, dont il s'affranchit volontiers, et non sans trouver dans cette audace des effets harmoniques étonnants.

Aux soirs d'avrils anciens, jetant des cris joyeux,
Entremêlés de ritournelles,
Avec des lieds joyeux,
Elles passaient, la gloire aux yeux,
Sous le frisson des tonnelles
Comme en les villanelles.

Cependant que venaient, du fond de la villa,
Des accords de guitare ancienne,
De la vieille villa,
Et qui faisaient deviner là,
Près d'une obscure persienne,
Quelque musicienne.

Mais rien n'est plus amer que de penser aussi
À tant de choses ruinées !
Ah ! de penser aussi,
Lorsque nous revenons ainsi
Par des sentes de fleurs fanées
À nos jeunes années..., etc.

Quelquefois, sans doute, les deux personnages ne se fondent pas assez bien. Le parnassien domine au recto, et le décadent au verso de la même page. Ainsi il y a de la distance entre la fluidité vague des vers qui précèdent, et la touche précise et fortement accentuée de ceux-ci :

Je remarquais toujours ce grand Jésus de plâtre
Dressé comme un pardon au seuil du vieux couvent,
Échafaud solennel à geste noir, devant
Lequel je me courbais, saintement idolâtre.

Or, l'autre soir, à l'heure où le cri-cri folâtre,
Par les prés assombris, le regard bleu rêvant,
Récitant Éloa, les cheveux dans le vent,
Comme il sied à l'éphèbe esthétique et bellâtre :

> J'aperçus, adjoignant des débris de parois,
> Un gigantesque amas de lourde vieille croix
> Et de plâtre écroulé parmi les primevères.
>
> Et je restai là, morne, avec des yeux pensifs,
> Et j'entendais en moi des marteaux convulsifs
> Renfoncer les clous noirs des intimes Calvaires.

Sans doute, avec le temps, Nelligan eût conquis pour son style une unité plus forte, et, de ses diverses tendances, plus fermement équilibrées, se fût fait un moule vraiment personnel et définitif.

Quoi qu'il en soit, il était et fût resté un grand musicien de syllabes. On le prend souvent en défaut d'inspiration et même de sens, jamais en défaut d'harmonie. Il connaît la valeur exacte des sons et leurs plus subtiles nuances. Il tire un parti habile et sûr de tous artifices de la cadence poétique. J'aime à le citer à ce point de vue, car c'est un maître. Abstraction faite de l'évocation intime, quoi de plus neuf comme agencement musical que ces deux strophes :

> Ah ! comme la neige a neigé !
> Ma vitre est un jardin de givre.
> Ah ! comme la neige a neigé !
> Qu'est-ce que le spasme de vivre
> À la douleur, que j'ai, que j'ai !
>
> Tous les étangs gisent gelés.
> Mon âme est noire : où vis-je ? où vais-je ?
> Tous ses espoirs gisent gelés.
> Je suis la nouvelle Norvège
> D'où les blonds ciels s'en sont allés.

Je trouve encore un charme troublant et bizarre, pour l'âme autant que pour l'oreille, dans la fantaisie intitulée *Five o'clock* :

Comme Liszt se dit triste au piano voisin !

....

Le givre a ciselé de fins vases fantasques,
Bijoux d'orfèvrerie, orgueils de Cellini,
Aux vitres du boudoir, dont l'embrouillamini
Désespère nos yeux de ses folles bourrasques.

Comme Haydn est triste au piano voisin !

....

Ne sors pas ! Voudrais-tu défier les bourrasques,
Battre les trottoirs froids par l'embrouillamini
D'hiver. Reste. J'aurai tes ors de Cellini,
Tes chers doigts constellés de deux bagues fantasques.

Comme Mozart est triste au piano voisin !

....

Le Five o'clock expire en mol ut crescendo,
— Ah ! qu'as-tu ? tes chers cils s'amalgament de perles.
— C'est que je vois mourir le jeune espoir des merles
Sur l'immobilité glaciale des jets d'eau.

.... sol, la, si do.

— Gretchen, verse le thé aux tasses de Veddo.

Et ce novice, qui fait sonner de façon si experte le cliquetis des mots, excelle aussi, mérite beaucoup plus rare, à
allumer au choc des pensées l'image étincelante et neuve.
Comme les grands poètes de tous les temps, il voit les
choses les plus vieilles sous des angles inaperçus : il y saisit
des rapports très lointains, très indirects, qui frappent pourtant par leur simplicité et leur justesse. Il renouvelle l'arse-
nal usé de la métaphore, et du lieu commun lui-même sait
faire une conception personnelle et une création. Ennemi-
né de la banalité dans l'art, il cherche toujours le mot typique, le trait expressif, la comparaison imprévue, la sensation raffinée, le coup de pinceau qui fait éclair, la touche

subtile qui remuera dans l'âme quelque corde non encore atteinte. Et ce louable effort réussit souvent : la fuite du « convenu » ne le fait pas verser dans l'inintelligible, ressource des talents inférieurs ; et le poète, en frais d'images, a des ingéniosités de bon aloi et des trouvailles de génie.

Il a, quand il le veut, l'image épique et romanesque de Hugo :

> Et depuis, je me sens muré contre le monde,
> Tel un prince du Nord que son Kremlin défend.

> Et je revis encore avec ce qui fut là
> Quand les soirs nous jetaient de l'or par les persiennes.

> Et parfois, tout ravis, dans nos palais de foin,
> Nous déjeunions d'aurore et nous soupions d'étoiles.

Il a l'image éclatante et précise des fins ciseleurs du Parnasse :

> Je rêve de marcher comme un conquistador,
> Haussant mon labarum triomphal de victoire,
> Vers des assauts de ville aux tours de bronze et d'or.

> Ils défilent, au chant étoffé des sandales,
> Le chef bas, égrenant de massifs chapelets.

> Maître, quand j'entendis, de par tes doigts magiques,
> Vibrer ce grand nocturne, à des bruits d'or pareil.

Plus souvent, c'est l'image plus indécise, mais aussi plus évocatrice, dont Rodenbach surtout a joué avec une virtuosité si rare ; l'image symbolique, dont la sensation se prolonge, dont le sens se creuse et s'étend dans les lointains de l'âme, y éveillant par sa note profonde toute une gamme d'harmoniques aiguës :

Le soir sème l'Amour, et les Rogations
S'agenouillent avec le Songe.

Ma voix t'appelle, ô sœur! mais ta voix d'or m'élude,
Lucile est morte hier, et je sanglote, étant
Comme une cloche vaine en une solitude.

Comme il est douloureux de voir un corbillard
Traîné par des chevaux funèbres, en automne,
S'en aller cahotant au chemin monotone,
Là-bas, vers quelque gris cimetière perdu
Qui lui-même comme un grand mort gît étendu...

Alors que dans ta lande intime tu rappelles,
Mon cœur, ces angelus d'antan, fanés, sans voix,
Tous ces oiseaux de bronze envolés des chapelles!

Octobre étend son soir de blanc repos
Comme une ombre de mère morte.

Ou bien, originale encore, l'image relève de l'observation pure et simple, de la réalité perçue par un œil d'artiste singulièrement attentif et pénétrant.

L'hiver de son pinceau givré barbouille aux vitres
Des pastels de jardin de roses en glaçons.

Seuls, des camélias, dans un glauque bocal,
Ferment languissamment leurs prunelles câlines.

De grands chevaux de pourpre erraient, sanguinolents,
Par les célestes turfs, et je tenais, tremblants,
Tes doigts entre mes mains comme un nid d'oiseaux blancs.

Aviez-vous songé que les vieux toits, par un soir d'hiver, ressemblent à une armée de vétérans, au casque à poil blanchi par la neige, et portant droit leurs cheminées en guise de mousquets? Nelligan a fait, lui, cette étonnante constatation:

> Casqués de leurs shakos de riz,
> Vieux de la vieille au mousquet noir,
> Les hauts toits, dans l'hivernal soir,
> Montent la consigne à Paris.

Parfois l'analogie, à force d'être inédite, est bien un peu tirée, et la diction prétentieuse. Voici, par exemple, une manière unique de mendier les faveurs d'une belle maîtresse :

> Veux-tu m'astraliser la nuit ?

Voici une façon non moins rare de prier une jeune fille de ne pas regarder par la fenêtre :

> Loin des vitres ! clairs yeux dont je bois les liqueurs,
> Et ne vous souillez pas à contempler les plèbes !

Voici une peinture ultra-pittoresque de trois perroquets empaillés sur une console :

> Tel un trio spectral de pailles immobiles,
> Sur la corniche où vibre un effroi de sébiles,
> Se juxtaposera leur vieille intimité.

Et c'est une allusion symbolique, oh ! combien ! que cette morale à propos d'un soulier, dernier souvenir d'une morte :

> *Mon âme est un soulier percé !*

Encore y a-t-il là quelque chose de trouvé, et que tout le monde n'eût pas trouvé. Je voudrais que Nelligan n'eût jamais fait pis, qu'il n'eût jamais traîné par les cheveux l'image embarrassée et pénible, l'image ronflante et déclamatoire. Cela lui arrive pourtant, dans ses mauvais jours. Ne baptise-t-il pas notre ami Gill :

> Jumeau de l'idéal, ô brun enfant d'Apelle !

Et ne poursuit-il pas, trois vers durant, cette insipide métaphore :

> Je plaque lentement les doigts de mes névroses,
> Chargés des anneaux noirs de mes dégoûts mondains,
> Sur le sombre clavier de la vie et des choses.

Mais il n'est bon cheval qui ne bronche, ni bon poète qui ne divague. Ces faiblesses sont l'exception : en général l'image jaillit alerte et bien frappée, forte et juste ; et, mieux que tout le reste, cette faculté d'imaginer en neuf consacre le talent poétique de Nelligan, le place peut-être hors de pair dans notre pléiade naissante.

V

J'ai vu un soir Nelligan en pleine gloire. C'était au Château Ramesay, à l'une des dernières séances publiques de l'École Littéraire. Je ne froisserai, j'espère, aucun rival en disant que le jeune éphèbe eut les honneurs de cette soirée. Quand, l'œil flambant, le geste élargi par l'effort intime, il clama d'une voix passionnée sa *Romance du vin*, une émotion vraie étreignit la salle, et les applaudissements prirent la fureur d'une ovation. Hélas! six mois après, le triomphateur subissait la suprême défaite, et l'École Littéraire elle-même s'en allait, désorganisée et expirante.

Je ne songe jamais au héros tombé sans regretter la décadence de ce cénacle d'esprits choisis, tous rayonnant d'une belle jeunesse et d'un ardent amour de l'art, qui montra un instant tant de vitalité et fit concevoir de si hauts espoirs. Nous y voyions le signal attendu de notre réveil artistique, l'aube d'une renaissance littéraire dans notre pays, l'effort décisif pour soulever l'étendard sacré au-dessus de nos prosaïsmes vulgaires, peut-être l'avenir du parler de France sur les lèvres de nos enfants. En fait, les succès, l'influence grandissante de l'œuvre, justifiaient nos prévisions. Elle avait connu la petitesse et l'obscurité des débuts. Quatre ou cinq camarades, frais émoulus de rhétorique, en avaient jeté les bases en comité intime. Louvigny de Montigny, ce gai dilettante qui a toujours eu le tempérament d'un Mécène avec la bourse d'un Diogène, les réunissait chez lui et était par son entrain l'âme de leurs ébats. On voyait là, s'il m'en souvient, Joseph Melançon, le rêveur paisible et le rimeur délicat qui a troqué depuis le carquois d'Apollon pour les canons de la Sainte Église; Gustave Comte, qui, dans le travail, inscrit au règlement, de l'épluchement des confrères, se formait aux finesses et aux malices de la critique d'art; Jean Charbonneau, qui avait déjà à son actif quatre ou cinq drames en vers; Germain Beaulieu, tourné maintenant à l'économie politique et à la philanthropie; Paul de Martigny, un être étincelant d'esprit, devenu l'un des fondateurs des premiers *Débats*; Albert Laberge, âme pétrie de mysticisme, condamné, hélas! à chanter dans la *Presse* les idylles de la boxe et les épopées du football; E.-Z. Massicotte, resté, lui, fidèle aux muses d'antan; Henry Desjardins, qui depuis... mais les notaires m'en garderaient rancune.

Plus tard, le cercle s'élargissant, le salon des de Montigny fut trop étroit. Alors, le vieux recorder, qui eut toujours pour l'art de paternelles faiblesses, prêtait à nos jeunes «escholiers» la clef du vénérable tribunal où il jugeait chaque matin les escarpes et les soulots. Le soir venu, les drames de la vie réelle faisaient place aux pacifiques assises de l'Idée; les rimes voletaient dans la salle où avaient retenti les objurgations et les amendes; et, sur le siège du magistrat, la Poésie trônait, en gilet et en toque, dans la personne de Charles Gill.

Car des recrues nouvelles avaient grossi la sainte phalange, et à leur tête Gill, le peintre-poète, que son talent si délicat et si ferme avait porté au rang d'honneur. Il présidait d'ailleurs, comme lui-même l'a écrit, «une école sans maître, où nul n'avait le droit d'élever la voix plus haut que son voisin», et d'où la jalousie et l'adulation étaient également exclues.

C'étaient encore Albert Ferland, un lamartiniste ému et tendre; — Arthur de Bussière, rimeur habile épris d'exotisme et de coloris; — Albert Lozeau, dont l'âme gardait, dans un corps anémié, un souffle si jeune et si vivace; — Pierre Bédard, moins poète que prosateur, mais sachant loger dans sa prose une poésie discrète; — Dumont, que des goûts sérieux poussaient vers la philosophie et l'histoire; — Demers, un dramaturge en herbe, qui osait, après Racine, dialoguer les fureurs de Néron; — Antonio Pelletier, d'autres peut-être, — tous avec leurs préférences littéraires, leur genre et leur style distincts, mais unis dans la poursuite désintéressée et sincère de la Beauté parlant français.

Plus tard encore, l'École crut augmenter son influence en s'adjoignant d'autres écrivains plus mûris et plus connus. Elle offrit sa présidence d'honneur à Louis Fréchette, et de fins stylistes comme Gonzalve Desaulniers vinrent s'asseoir à côté de leurs jeunes émules, qu'ils dépassaient de toute leur expérience et de tout l'acquis de leurs œuvres. Les portes du Monument National, puis celles du Château Ramesay, s'ouvrirent alors à des séances publiques, qui marquèrent un glorieux apogée. Cette évolution était honorable, certes: elle offrait pourtant ses périls. On le vit bien quand un avocat, qui ne touchait, lui, que de très loin à la littérature, obtint la direction de l'École. Il fut, bien inconsciemment sans doute, son mauvais génie. Je n'ai pas à faire l'histoire d'une déchéance qui dure encore : il me suffit de la déplorer, en souhaitant que l'œuvre galvanise à nouveau ce qui lui reste de vie latente, et revienne à l'entrain et aux belles audaces de ses origines. L'âme de Nelligan s'en réjouira dans les limbes obscurs où doivent vivre les âmes qui n'ont laissé ici-bas que leurs corps.

VI

Je termine cette étude en la résumant. Émile Nelligan fut un poète prodigieusement doué, à qui il n'a manqué que le temps et le travail pour devenir un grand poète. Tel qu'il est, il aura merveilleusement reflété tout un coin du ciel de la poésie, et conquis une place bien à lui dans notre anthologie canadienne. Il s'est dépeint lui-même tout entier, avec ses dons superbes, avec ses impuissances fatales, avec la catastrophe enfin qui l'a brisé en plein essor, dans ces vers qui pourraient être son épitaphe :

> Je sens voler en moi les oiseaux du génie,
> Mais j'ai tendu si mal mon piège qu'ils ont pris
> Dans l'azur cérébral leurs vols blancs, bruns et gris,
> Et que mon cœur brisé râle son agonie.

Nous qui survivons à son infortune, ne pourrions-nous recueillir quelques-uns au moins de ces pauvres oiseaux perdus ? L'œuvre de Nelligan est inédite, ou dispersée dans les pages de journaux lointains ; il serait digne d'un ami des lettres de la sauver de l'oubli définitif. Un choix intelligent de ces poésies formerait un livre assez court, mais d'une valeur réelle et d'un intérêt puissant. Les muses nationales béniront l'homme de cœur et de goût qui fera ce choix et ce livre.

LOUIS DANTIN
Montréal, août 1902.

Post-scriptum

Les circonstances et le vœu des amis de Nelligan veulent que j'essaie d'être cet homme.

On l'a reconnu volontiers, les lignes qui précèdent reflètent exactement le caractère et l'œuvre de notre jeune poète. Je n'y ajouterai que quelques mots.

D'abord, je tiens à dire que l'édition présente n'est qu'un extrait des volumineux cahiers laissés par Émile Nelligan. Elle n'est pas «toute la lyre», et laisse ample matière à glaner aux chercheurs de miettes posthumes. Mais je crois y avoir réuni tout ce qui vraiment mérite de vivre, tout ce qui peut servir la gloire de nos lettres et celle de notre malheureux ami.

Je le déclare ici, pour justifier cette sélection, l'inspiration d'Émile Nelligan était fort inégale, et son sens critique assez peu mûri. On trouve pêle-mêle, dans ses cahiers, des pièces de valeur fort diverse, de simples ébauches à côté de morceaux finis, des strophes alertes et françaises à côté d'autres où l'incorrection le dispute à l'obscurité. Fallait-il, dans ce volume, vider au hasard toute la corbeille? C'eût été, à coup sûr, rendre à l'auteur comme aux lecteurs un piètre service.

Je sais bien que tout choix est périlleux, qu'on risque d'y glisser des idées, des goûts personnels, qui masquent et empêchent d'éclater la pleine personnalité d'une œuvre. Mais, sachant ce péril, j'ai tâché de mettre en ce choix le plus du poète et le moins de l'éditeur que j'ai pu. Je n'ai élagué aucune pièce portant l'empreinte du talent, même sous ses formes les plus scabreuses ; je n'ai rogné que sur le banal, l'imprécis, le faux, le médiocre ; et d'aucuns jugeront même que je n'ai pas toujours eu la sévérité qui eût été justice.

Sans doute, dans ce qui reste on trouverait encore des perles. Tel sonnet que j'ai négligé s'ouvre sur un délicieux quatrain, et de tel autre on redirait :

La chute en est jolie, etc.

Mais l'ensemble m'a paru inférieur, et, pas plus qu'un potage, un sonnet manqué ne se rachète par les circonstances atténuantes.

Si quelqu'un, malgré tout, regrettait les «œuvres complètes», je lui demanderais ce que les vers suivants, par exemple, peuvent bien ajouter à une réputation d'artiste :

Refoulons la sente
Presque renaissante
À notre ombre passante.

Confabulons là
Avec tout cela
Qui fut de la villa.

Parmi les voix tues
Des vieilles statues
Çà et là abattues.

Dans le parc défunt
Où rôde un parfum
De soir blanc en soir brun, etc.

Il est évident qu'en donnant l'oubli à de telles strophes, on leur octroie ce qu'elles méritent. Ces remarques justifient, ce me semble, la composition de ce volume, et elles expliquent aussi certaines critiques de ma préface, qui, à en juger par les seuls vers publiés ici, pourraient paraître peu méritées.

Je dois, pour finir, des excuses à une institution que j'ai crue morte, et qui vit. L'École Littéraire s'est émue du permis d'enterrer que je lui décernais prématurément. Elle a protesté, comme c'était son droit. « Je proteste, donc je suis. » J'ai la joie de reconnaître que cette œuvre, chère à Nelligan, lui a survécu, et qu'elle poursuit, avec la même sincérité que jadis, son travail de culture et d'affinement intellectuel parmi notre jeunesse. Les regrets que j'exprimais à son sujet n'ont donc qu'à se changer en félicitations, et si j'ai laissé subsister plus haut mes appréciations premières, c'est pour me donner le franc plaisir de les rétracter ici.

L. D.

L'ÂME DU POÈTE

CLAIR DE LUNE INTELLECTUEL

Ma pensée est couleur de lumières lointaines,
Du fond de quelque crypte aux vagues profondeurs.
Elle a l'éclat parfois des subtiles verdeurs
D'un golfe où le soleil abaisse ses antennes.

En un jardin sonore, au soupir des fontaines,
Elle a vécu dans les soirs doux, dans les odeurs ;
Ma pensée est couleur de lumières lointaines,
Du fond de quelque crypte aux vagues profondeurs.

Elle court à jamais les blanches prétentaines,
Au pays angélique où montent ses ardeurs,
Et, loin de la matière et des brutes laideurs,
Elle rêve l'essor aux célestes Athènes.

Ma pensée est couleur de lunes d'or lointaines.

MON ÂME

Mon âme a la candeur d'une chose étoilée,
    D'une neige de février...
Ah! retournons au seuil de l'Enfance en allée,
    Viens-t'en prier...

Ma chère, joins tes doigts et pleure et rêve et prie,
    Comme tu faisais autrefois
Lorsqu'en ma chambre, aux soirs, vers la Vierge fleurie
    Montait ta voix.

Ah! la fatalité d'être une âme candide
En ce monde menteur, flétri, blasé, pervers,
D'avoir une âme ainsi qu'une neige aux hivers
Que jamais ne souilla la volupté sordide!

D'avoir l'âme pareille à de la mousseline
Que manie une sœur novice de couvent,
Ou comme un luth empli des musiques du vent
Qui chante et qui frémit le soir sur la colline!

D'avoir une âme douce et mystiquement tendre,
Et cependant, toujours, de tous les maux souffrir,
Dans le regret de vivre et l'effroi de mourir,
Et d'espérer, de croire... et de toujours attendre !

LE VAISSEAU D'OR

Ce fut un grand Vaisseau taillé dans l'or massif :
Ses mâts touchaient l'azur sur des mers inconnues ;
La Cyprine d'amour, cheveux épars, chairs nues,
S'étalait à sa proue, au soleil excessif.

Mais il vint une nuit frapper le grand écueil
Dans l'Océan trompeur où chantait la Sirène,
Et le naufrage horrible inclina sa carène
Aux profondeurs du Gouffre, immuable cercueil.

Ce fut un Vaisseau d'or, dont les flancs diaphanes
Révélaient des trésors que les marins profanes,
Dégoût, Haine et Névrose, entre eux ont disputés.

Que reste-t-il de lui dans la tempête brève ?
Qu'est devenu mon cœur, navire déserté ?
Hélas ! Il a sombré dans l'abîme du Rêve !...

LE JARDIN DE L'ENFANCE

CLAVIER D'ANTAN

Clavier vibrant de remembrance,
J'évoque un peu des jours anciens,
Et l'Éden d'or de mon enfance

Se dresse avec les printemps siens,
Souriant de vierge espérance
Et de rêves musiciens...

Vous êtes morte tristement,
Ma muse des choses dorées,
Et c'est de vous qu'est mon tourment;

Et c'est pour vous que sont pleurées
Au luth âpre de votre amant
Tant de musiques éplorées.

DEVANT MON BERCEAU

En la grand'chambre ancienne aux rideaux de guipure
Où la moire est flétrie et le brocart fané,
Parmi le mobilier de deuil où je suis né
Et dont se scelle en moi l'ombre nacrée et pure ;

Avec l'obsession d'un sanglot étouffant,
Combien ma souvenance eut d'amertume en elle,
Lorsque, remémorant la douceur maternelle,
Hier, j'étais penché sur ma couche d'enfant.

Quand je n'étais qu'au seuil de ce monde mauvais,
Berceau, que n'as-tu fait pour moi tes draps funèbres ?
Ma vie est un blason sur des murs de ténèbres,
Et mes pas sont fautifs où maintenant je vais.

Ah ! que n'a-t-on tiré mon linceul de tes langes,
Et mon petit cercueil de ton bois frêle et blanc,
Alors que se penchait sur ma vie, en tremblant,
Ma mère souriante avec l'essaim des anges !

LE REGRET DES JOUJOUX

Toujours je garde en moi la tristesse profonde
Qu'y grava l'amitié d'une adorable enfant,
Pour qui la mort sonna le fatal olifant,
Parce qu'elle était belle et gracieuse et blonde.

Or, depuis je me sens muré contre le monde,
Tel un prince du Nord que son Kremlin défend,
Et, navré du regret dont je suis étouffant,
L'Amour comme à sept ans ne verse plus son onde.

Où donc a fui le jour des joujoux enfantins,
Lorsque Lucile et moi nous jouions aux pantins
Et courions tous les deux dans nos robes fripées ?

La petite est montée au fond des cieux latents,
Et j'ai perdu l'orgueil d'habiller ses poupées...
Ah ! de franchir si tôt le portail des vingt ans !

DEVANT LE FEU

Par les hivers anciens, quand nous portions la robe,
Tout petits, frais, rosés, tapageurs et joufflus,
Avec nos grands albums, hélas! que l'on n'a plus,
Comme on croyait déjà posséder tout le globe!

Assis en rond, le soir, au coin du feu, par groupes,
Image sur image, ainsi combien joyeux
Nous feuilletions, voyant, la gloire dans les yeux,
Passer de beaux dragons qui chevauchaient en troupes!

Je fus de ces heureux d'alors, mais aujourd'hui,
Les pieds sur les chenets, le front terne d'ennui,
Moi qui me sens toujours l'amertume dans l'âme,

J'aperçois défiler, dans un album de flamme,
Ma jeunesse qui va, comme un soldat passant,
Au champ noir de la vie, arme au poing, toute en sang!

PREMIER REMORDS

Au temps où je portais des habits de velours
Éparses sur mon col roulaient mes boucles brunes.
J'avais de grands yeux purs comme le clair des lunes;
Dès l'aube je partais, sac au dos, les pas lourds.

Mais en route aussitôt je tramais des détours,
Et, narguant les pions de mes jeunes rancunes,
Je montais à l'assaut des pommes et des prunes
Dans les vergers bordant les murailles des cours.

Étant ainsi resté loin des autres élèves,
Loin des bancs, tout un mois, à vivre au gré des rêves,
Un soir, à la maison craintif comme j'entrais,

Devant le crucifix où sa lèvre se colle
Ma mère était en pleurs!... Ô mes ardents regrets!
Depuis, je fus toujours le premier à l'école.

MA MÈRE

Quelquefois sur ma tête elle met ses mains pures,
Blanches, ainsi que des frissons blancs de guipures.

Elle me baise au front, me parle tendrement,
D'une voix au son d'or mélancoliquement.

Elle a les yeux couleur de ma vague chimère,
Ô toute poésie, ô toute extase, ô Mère !

À l'autel de ses pieds je l'honore en pleurant,
Je suis toujours petit pour elle, quoique grand.

DEVANT DEUX PORTRAITS DE MA MÈRE

Ma mère, que je l'aime en ce portrait ancien,
Peint aux jours glorieux qu'elle était jeune fille,
Le front couleur de lys et le regard qui brille
Comme un éblouissant miroir vénitien !

Ma mère que voici n'est plus du tout la même ;
Les rides ont creusé le beau marbre frontal ;
Elle a perdu l'éclat du temps sentimental
Où son hymen chanta comme un rose poème.

Aujourd'hui je compare, et j'en suis triste aussi,
Ce front nimbé de joie et ce front de souci,
Soleil d'or, brouillard dense au couchant des années.

Mais, mystère de cœur qui ne peut s'éclairer !
Comment puis-je sourire à ces lèvres fanées ?
Au portrait qui sourit, comment puis-je pleurer ?

LE TALISMAN

Pour la lutte qui s'ouvre au seuil des mauvais jours
Ma mère m'a fait don d'un petit portrait d'elle,
Un gage auquel je suis resté depuis fidèle
Et qu'à mon cou suspend un cordon de velours.

« Sur l'autel de ton cœur (puisque la mort m'appelle)
Enfant je veillerai, m'a-t-elle dit, toujours.
Que ceci chasse au loin les funestes amours,
Comme un lampion d'or, gardien d'une chapelle. »

Ah ! sois tranquille en les ténèbres du cercueil !
Ce talisman sacré de ma jeunesse en deuil
Préservera ton fils des bras de la Luxure,

Tant j'aurais peur de voir un jour, sur ton portrait,
Couler de tes yeux doux les pleurs d'une blessure,
Mère ! dont je mourrais, plein d'éternel regret.

LE JARDIN D'ANTAN

Rien n'est plus doux aussi que de s'en revenir
Comme après de longs ans d'absence,
Que de s'en revenir
Par le chemin du souvenir
Fleuri de lys d'innocence,
Au jardin de l'Enfance.

Au jardin clos, scellé, dans le jardin muet
D'où s'enfuirent les gaietés franches,
Notre jardin muet
Et la danse du menuet
Qu'autrefois menaient sous branches
Nos sœurs en robes blanches.

Aux soirs d'Avrils anciens, jetant des cris joyeux
Entremêlés de ritournelles,
Avec des lieds joyeux
Elles passaient, la gloire aux yeux,
Sous le frisson des tonnelles,
Comme en les villanelles.

Cependant que venaient, du fond de la villa,
   Des accords de guitare ancienne,
      De la vieille villa,
      Et qui faisaient deviner là
      Près d'une obscure persienne,
         Quelque musicienne.

Mais rien n'est plus amer que de penser aussi
   À tant de choses ruinées !
      Ah ! de penser aussi,
      Lorsque nous revenons ainsi
      Par des sentes de fleurs fanées,
         À nos jeunes années.

Lorsque nous nous sentons névrosés et vieillis,
   Froissés, maltraités et sans armes,
      Moroses et vieillis,
      Et que, surnageant aux oublis,
      S'éternise avec ses charmes
         Notre jeunesse en larmes !

LA FUITE DE L'ENFANCE

Par les jardins anciens foulant la paix des cistes,
Nous revenons errer, comme deux spectres tristes,
Au seuil immaculé de la Villa d'antan.

Gagnons les bords fanés du Passé. Dans les râles
De sa joie il expire. Et vois comme pourtant
Il se dresse sublime en ses robes spectrales.

Ici sondons nos cœurs pavés de désespoirs.
Sous les arbres cambrant leurs massifs torses noirs
Nous avons les Regrets pour mystérieux hôtes.

Et bien loin, par les soirs révolus et latents,
Suivons là-bas, devers les idéales côtes,
La fuite de l'Enfance au vaisseau des Vingt ans.

RUINES

Quelquefois je suis plein de grandes voix anciennes,
Et je revis un peu l'enfance en la villa ;
Je me retrouve encore avec ce qui fut là
Quand le soir nous jetait de l'or par les persiennes.

Et dans mon âme alors soudain je vois groupées
Mes sœurs à cheveux blonds jouant près des vieux feux ;
Autour d'elles le chat rôde, le dos frileux,
Les regardant vêtir, étonné, leurs poupées.

Ah ! la sérénité des jours à jamais beaux
Dont sont morts à jamais les radieux flambeaux,
Qui ne brilleront plus qu'en flammes chimériques :

Puisque tout est défunt, enclos dans le cercueil,
Puisque, sous les outils des noirs maçons du Deuil,
S'écroulent nos bonheurs comme des murs de briques !

LES ANGÉLIQUES

Des soirs, j'errais en lande hors du hameau natal,
Perdu parmi l'orgueil serein des grands monts roses,
Et les Anges, à flots de longs timbres moroses,
Ébranlaient les bourdons, au vent occidental.

Comme un berger-poète au cœur sentimental,
J'aspirais leur prière en l'arôme des roses,
Pendant qu'aux ors mourants, mes troupeaux de névroses
Vagabondaient le long des forêts de santal.

Ainsi, de par la vie où j'erre solitaire,
J'ai gardé dans mon âme un coin de vieille terre,
Paysage ébloui des soirs que je revois ;

Alors que dans ta lande intime, tu rappelles,
Mon cœur, ces angélus d'antan, fanés, sans voix :
Tous ces oiseaux de bronze envolés des chapelles !

DANS L'ALLÉE

Toi-même, éblouissant comme un soleil ancien
    Les Regrets des solitudes roses,
Contemple le dégât du Parc magicien
Où s'effeuillent, au pas du Soir musicien,
    Des morts de camélias, de roses.

Revisitons le Faune à la flûte fragile
    Près des bassins au vaste soupir,
Et le banc où, le soir, comme un jeune Virgile,
Je venais célébrant sur mon théorbe agile
    Ta prunelle au reflet de saphir.

La Nuit embrasse en paix morte les boulingrins,
    Tissant nos douleurs aux ombres brunes,
Tissant tous nos ennuis, tissant tous nos chagrins,
Mon cœur, si peu quiet qu'on dirait que tu crains
    Des fantômes d'anciennes lunes !

Foulons mystérieux la grande allée oblique ;
    Là, peut-être à nos appels amis
Les Bonheurs dresseront leur front mélancolique,
Du tombeau de l'Enfance où pleure leur relique,
    Au recul de nos ans endormis.

LE BERCEAU DE LA MUSE

De mon berceau d'enfant j'ai fait l'autre berceau
Où ma Muse s'endort dans des trilles d'oiseau,
Ma Muse en robe blanche, ô ma toute maîtresse!

Oyez nos baisers d'or aux grands soirs familiers...
Mais chut! j'entends déjà la mégère Détresse
À notre seuil faisant craquer ses noirs souliers!

AMOURS D'ÉLITE

RÊVE D'ARTISTE

Parfois j'ai le désir d'une sœur bonne et tendre,
D'une sœur angélique au sourire discret :
Sœur qui m'enseignera doucement le secret
De prier comme il faut, d'espérer et d'attendre.

J'ai ce désir très pur d'une sœur éternelle,
D'une sœur d'amitié dans le règne de l'Art,
Qui me saura veillant à ma lampe très tard
Et qui me couvrira des cieux de sa prunelle ;

Qui me prendra les mains quelquefois dans les siennes
Et me chuchotera d'immaculés conseils,
Avec le charme ailé des voix musiciennes.

Et pour qui je ferai, si j'aborde à la gloire,
Fleurir tout un jardin de lys et de soleils
Dans l'azur d'un poème offert à sa mémoire.

CAPRICE BLANC

L'hiver, de son pinceau givré, barbouille aux vitres
Des pastels de jardins de roses en glaçons.
Le froid pique de vif et relègue aux maisons
Milady, canaris et les jockos bélîtres.

Mais la petite Miss en berline s'en va,
Dans son vitchoura blanc, une ombre de fourrures,
Bravant l'intempérie et les âcres froidures,
Et plus d'un, à la voir cheminer, la rêva.

Ses deux chevaux sont blancs et sa voiture aussi,
Menés de front par un cockney, flegme sur siège.
Leurs sabots font des trous ronds et creux dans la neige ;
Tout le ciel s'enfarine en un soir obscurci.

Elle a passé, tournant sa prunelle câline
Vers moi. Pour contempler alors l'immaculé
De ce décor en blanc, bouquet dissimulé,
Je lui jetai mon cœur au fond de sa berline.

PLACET

Reine, acquiescez-vous qu'une boucle déferle
Des lames des cheveux aux lames du ciseau,
Pour que j'y puisse humer un peu de chant d'oiseau,
Un peu de soir d'amour né de vos yeux de perle?

Au bosquet de mon cœur, en des trilles de merle,
Votre âme a fait chanter sa flûte de roseau.
Reine, acquiescez-vous qu'une boucle déferle
Des lames des cheveux aux lames du ciseau?

Fleur soyeuse aux parfums de rose, lis ou berle,
Je vous la remettrai, secrète comme un sceau,
Fût-ce en Éden, au jour que nous prendrons vaisseau
Sur la mer idéale où l'ouragan se ferle.

Reine, acquiescez-vous qu'une boucle déferle?

LE ROBIN DES BOIS

Pendant que nous lisions Werther au fond des bois,
Hier s'en vint chanter un robin dans les branches;
Et j'ai saisi vos mains, j'ai saisi vos mains blanches,
Et je vous ai parlé d'amour comme autrefois.

Mais vous êtes restée insensible à ma voix,
Muette au jeune aveu des affections franches;
Quand soudain, vous levant, courant dans les pervenches,
Émue, et m'appelant, vous m'avez crié : « Vois! »

Voici qu'était tombé du frissonnant feuillage
L'oiseau sentimental, frappé dans son jeune âge,
Et qui mourait sitôt, pauvre ami du printemps.

Et vous, vous le pleuriez, regrettant sa romance,
Pendant que je songeais, fixant l'azur immense :
Le Robin et l'Amour sont morts en même temps !

LE MAI D'AMOUR

Voici que verdit le printemps
Où l'heure au cœur sonne vingt ans,
  Larivarite et la la ri.
Voici que j'ai touché l'époque
Où l'on est las d'habits en loque,
Au gentil sieur il faudra ça
   Ça
   La la ri
Jeunes filles de bel humour,
Donnez-nous le mai de l'amour,
  Larivarite et la la ri.

Soyez blonde ou brune ou châtaine,
Ayez les yeux couleur lointaine
  Larivarite et la la ri
Des astres bleus, des perles roses,
Mais surtout, pas de voix moroses,
Belles de liesse, il faudra ça
   Ça
   La la ri
Il faudra battre un cœur de joie
Tout plein de gaîté qui rougeoie,
  Larivarite et la la ri.

Moi, j'ai rêvé de celle-là
Au cœur triste dans le gala,
    Larivarite et la la ri,
Comme l'oiseau d'automne au bois
Ou le rythme du vieux hautbois,
Un cœur triste, il me faudra ça
        Ça
      La la ri
Triste comme une main d'adieu
Et pur comme les yeux de Dieu,
    Larivarite et la la ri.

Voici que vient l'amour de mai,
Vivez-le vite, le cœur gai,
    Larivarite et la la ri.
Ils tombent tôt les jours méchants,
Vous cesserez aussi vos chants ;
Dans le cercueil il faudra ça
        Ça
      La la ri
Belles de vingt ans au cœur d'or,
L'amour, sachez-le, tôt s'endort,
    Larivarite et la la ri.

LA BELLE MORTE

Ah ! la belle morte, elle repose...
En Éden blanc un ange la pose.

Elle sommeille emmi les pervenches,
Comme en une chapelle aux dimanches.

Ses cheveux sont couleur de la cendre,
Son cercueil, on vient de le descendre.

Et ses beaux yeux verts que la mort fausse
Feront un clair de lune en sa fosse.

THÈME SENTIMENTAL

Je t'ai vue un soir me sourire
Dans la planète des Bergers;
Tu descendais à pas légers
Du seuil d'un château de porphyre.

Et ton œil de diamant rare
Éblouissait le règne astral.
Femme, depuis, par mont ou val,
Femme, beau marbre de Carrare,

Ta voix me hante en sons chargés
De mystère et fait mon martyre,
Car toujours je te vois sourire
Dans la planète des Bergers.

AMOUR IMMACULÉ

Je sais en une église un vitrail merveilleux
Où quelque artiste illustre, inspiré des archanges,
A peint d'une façon mystique, en robe à franges,
Le front nimbé d'un astre, une Sainte aux yeux bleus.

Le soir, l'esprit hanté de rêves nébuleux
Et du céleste écho de récitals étranges,
Je m'en viens la prier sous les lueurs oranges
De la lune qui luit entre ses blonds cheveux.

Telle sur le vitrail de mon cœur je t'ai peinte,
Ma romanesque aimée, ô pâle et blonde sainte,
Toi, la seule que j'aime et toujours aimerai ;

Mais tu restes muette, impassible, et, trop fière,
Tu te plais à me voir, sombre et désespéré,
Errer dans mon amour comme en un cimetière !

LE MISSEL DE LA MORTE

Ce missel d'ivoire
Que tu m'as donné,
C'est au lys fané
Qu'est sa page noire.

Ô legs émané
De pure mémoire,
Quand tu m'as donné
Ce missel d'ivoire !

Tout l'antan de gloire
En lui, suranné,
Survit interné.
Quel lacrymatoire,

Ce missel d'ivoire !

CHÂTEAUX EN ESPAGNE

Je rêve de marcher comme un conquistador,
Haussant mon labarum triomphal de victoire,
Plein de fierté farouche et de valeur notoire,
Vers des assauts de ville aux tours de bronze et d'or.

Comme un royal oiseau, vautour, aigle ou condor,
Je rêve de planer au divin territoire,
De brûler au soleil mes deux ailes de gloire
À vouloir dérober le céleste Trésor.

Je ne suis hospodar, ni grand oiseau de proie ;
À peine si je puis dans mon cœur qui guerroie
Soutenir le combat des vieux Anges impurs ;

Et mes rêves altiers fondent comme des cierges
Devant cette Ilion éternelle aux cent murs,
La ville de l'Amour imprenable des Vierges !

CHAPELLE DE LA MORTE

La chapelle ancienne est fermée,
Et je refoule à pas discrets
Les dalles sonnant les regrets
De toute une ère parfumée.

Et je t'évoque, ô bien-aimée !
Épris de mystiques attraits :
La chapelle assume les traits
De ton âme qu'elle a humée.

Ton corps fleurit dans l'autel seul,
Et la nef triste est le linceul
De gloire qui te vêt entière ;

Et dans le vitrail, tes grands yeux
M'illuminent ce cimetière
De doux cierges mystérieux.

BEAUTÉ CRUELLE

Certes, il ne faut avoir qu'un amour en ce monde,
Un amour, rien qu'un seul, tout fantasque soit-il ;
Et moi qui le recherche ainsi, noble et subtil,
Voilà qu'il m'est à l'âme une entaille profonde.

Elle est hautaine et belle, et moi timide et laid :
Je ne puis l'approcher qu'en des vapeurs de rêve.
Malheureux ! Plus je vais, et plus elle s'élève
Et dédaigne mon cœur pour un œil qui lui plaît.

Voyez comme, pourtant, notre sort est étrange !
Si nous eussions tous deux fait de figure échange,
Comme elle m'eût aimé d'un amour sans pareil !

Et je l'eusse suivie en vrai fou de Tolède,
Aux pays de la brume, aux landes du soleil,
Si le Ciel m'eût fait beau, et qu'il l'eût faite laide !

LES PIEDS SUR LES CHENETS

RÊVES ENCLOS

Enfermons-nous mélancoliques
Dans le frisson tiède des chambres,
Où les pots de fleurs des septembres
Parfument comme des reliques.

Tes cheveux rappellent les ambres
Du chef des vierges catholiques
Aux vieux tableaux des basiliques,
Sur les ors charnels de tes membres.

Ton clair rire d'émail éclate
Sur le vif écrin écarlate
Où s'incrusta l'ennui de vivre.

Ah! puisses-tu vers l'espoir calme
Faire surgir comme une palme
Mon cœur cristallisé de givre!

SOIR D'HIVER

Ah! comme la neige a neigé!
Ma vitre est un jardin de givre.
Ah! comme la neige a neigé!
Qu'est-ce que le spasme de vivre
À la douleur que j'ai, que j'ai!

Tous les étangs gisent gelés,
Mon âme est noire : où vis-je? où vais-je?
Tous ses espoirs gisent gelés :
Je suis la nouvelle Norvège
D'où les blonds ciels s'en sont allés.

Pleurez, oiseaux de février,
Au sinistre frisson des choses,
Pleurez, oiseaux de février,
Pleurez mes pleurs, pleurez mes roses,
Aux branches du genévrier.

Ah! comme la neige a neigé!
Ma vitre est un jardin de givre.
Ah! comme la neige a neigé!
Qu'est-ce que le spasme de vivre
À tout l'ennui que j'ai, que j'ai!...

FIVE O'CLOCK

Comme Liszt se dit triste au piano voisin !
....
Le givre a ciselé de fins vases fantasques,
Bijoux d'orfèvrerie, orgueils de Cellini,
Aux vitres du boudoir dont l'embrouillamini
Désespère nos yeux de ses folles bourrasques.

Comme Haydn est triste au piano voisin !
....
Ne sors pas ! Voudrais-tu défier les bourrasques,
Battre les trottoirs froids par l'embrouillamini
D'hiver ? Reste. J'aurai tes ors de Cellini,
Tes chers doigts constellés de leurs bagues fantasques.

Comme Mozart est triste au piano voisin !
....
Le Five o'clock expire en mol ut crescendo.
— Ah ! qu'as-tu ? tes chers cils s'amalgament de perles.
— C'est que je vois mourir le jeune espoir des merles
Sur l'immobilité glaciale des jets d'eau.

..... sol, la, si, do.

— Gretchen, verse le thé aux tasses de Yeddo.

POUR IGNACE PADEREWSKI

Maître, quand j'entendis, de par tes doigts magiques,
Vibrer ce grand Nocturne, à des bruits d'or pareil;
Quand j'entendis, en un sonore et pur éveil,
Monter sa voix, parfum des astrales musiques;

Je crus que, revivant ses rythmes séraphiques
Sous l'éclat merveilleux de quelque bleu soleil,
En toi, ressuscité du funèbre sommeil,
Passait le grand vol blanc du Cygne des phtisiques[1].

Car tu sus ranimer son puissant piano,
Et ton âme à la sienne en un mystique anneau
S'enchaîne étrangement par des causes secrètes.

Sois fier, Paderewski, du prestige divin
Que le ciel te donna, pour que chez les poètes
Tu fisses frissonner l'âme du grand Chopin!

---

1. Chopin, mort de phtisie à 38 ans. (Note de L. Dantin.)

GRETCHEN LA PÂLE

Elle est de la beauté des profils de Rubens
Dont la majesté calme à la sienne s'incline.
Sa voix a le son d'or de mainte mandoline
Aux balcons de Venise avec des chants lambins.

Ses cheveux, en des flots lumineux d'eaux de bains,
Déferlent sur sa chair vierge de manteline ;
Son pas, soupir lacté de fraîche mousseline,
Simule un vespéral marcher de chérubins.

Elle est comme de l'or d'une blondeur étrange.
Vient-elle de l'Éden ? de l'Érèbe ? Est-ce un ange
Que ce mystérieux chef-d'œuvre du limon ?

La voilà se dressant, torse, comme un jeune arbre,
Souple Anadyomène... Ah ! gare à ce démon !
C'est le Paros qui tue avec ses bras de marbre !

LIED FANTASQUE

Casqués de leurs shakos de riz,
Vieux de la vieille au mousquet noir,
Les hauts toits, dans l'hivernal soir,
Montent la consigne à Paris.

Les spectres sur le promenoir
S'ébattent en défilés gris.
Restons en intime pourpris,
Comme cela, sans dire ou voir...

Pose immobile la guitare,
Gretchen, ne distrais le bizarre
Rêveur sous l'ivresse qui plie.

Je voudrais cueillir une à une
Dans tes prunelles clair-de-lune
Les roses de ta Westphalie.

LE SALON

La poussière s'étend sur tout le mobilier,
Les miroirs de Venise ont défleuri leur charme ;
Il y rôde comme un très vieux parfum de Parme,
La funèbre douceur d'un sachet familier.

Plus jamais ne résonne à travers le silence
Le chant du piano dans des rythmes berceurs,
Mendelssohn et Mozart, mariant leurs douceurs,
Ne s'entendent qu'en rêve aux soirs de somnolence.

Mais le poète, errant sous son massif ennui,
Ouvrant chaque fenêtre aux clartés de la nuit,
Et se crispant les mains, hagard et solitaire,

Imagine soudain, hanté par des remords,
Un grand bal solennel tournant dans le mystère,
Où ses yeux ont cru voir danser les parents morts.

LE VIOLON BRISÉ

Aux soupirs de l'archet béni,
Il s'est brisé, plein de tristesse,
Le soir que vous jouiez, comtesse,
Un thème de Paganini.

Comme tout choit avec prestesse !
J'avais un amour infini,
Ce soir que vous jouiez, comtesse,
Un thème de Paganini.

L'instrument dort sous l'étroitesse
De son étui de bois verni,
Depuis le soir où, blonde hôtesse,
Vous jouâtes Paganini.

Mon cœur repose avec tristesse
Au trou de notre amour fini.
Il s'est brisé le soir, comtesse,
Que vous jouiez Paganini.

RONDEL À MA PIPE

Les pieds sur les chenets de fer
Devant un bock, ma bonne pipe,
Selon notre amical principe
Rêvons à deux, ce soir d'hiver.

Puisque le ciel me prend en grippe
(N'ai-je pourtant assez souffert?)
Les pieds sur les chenets de fer
Devant un bock rêvons, ma pipe.

Preste, la mort que j'anticipe
Va me tirer de cet enfer
Pour celui du vieux Lucifer;
Soit! nous fumerons chez ce type,

Les pieds sur les chenets de fer.

CHOPIN

Fais, au blanc frisson de tes doigts,
Gémir encore, ô ma maîtresse !
Cette marche dont la caresse
Jadis extasia les rois.

Sous les lustres aux prismes froids,
Donne à ce cœur sa morne ivresse,
Aux soirs de funèbre paresse
Coulés dans ton boudoir hongrois.

Que ton piano vibre et pleure,
Et que j'oublie avec toi l'heure
Dans un Éden, on ne sait où...

Oh ! fais un peu que je comprenne
Cette âme aux sons noirs qui m'entraîne
Et m'a rendu malade et fou !

HIVER SENTIMENTAL

Loin des vitres ! clairs yeux dont je bois les liqueurs,
Et ne vous souillez pas à contempler les plèbes.
Des gels norvégiens métallisent les glèbes,
Que le froid des hivers nous réchauffe les cœurs !

Tels des guerriers pleurant les ruines de Thèbes,
Ma mie, ainsi toujours courtisons nos rancœurs,
Et, dédaignant la vie aux chants sophistiqueurs,
Laissons le bon Trépas nous conduire aux Érèbes.

Tu nous visiteras comme un spectre de givre ;
Nous ne serons pas vieux, mais déjà las de vivre,
Mort ! que ne nous prends-tu par telle après-midi,

Languides au divan, bercés par sa guitare,
Dont les motifs rêveurs, en un rythme assourdi,
Scandent nos ennuis lourds sur la valse tartare !

VIOLON D'ADIEU

Vous jouiez Mendelssohn ce soir-là ; les flammèches
Valsaient dans l'âtre clair, cependant qu'au salon
Un abat-jour mêlait en ondulement long
Ses rêves de lumière au châtain de vos mèches.

Et tristes, comme un bruit frissonnant de fleurs sèches
Éparses dans le vent vespéral du vallon,
Les notes sanglotaient sur votre violon
Et chaque coup d'archet trouait mon cœur de brèches.

Or, devant qu'il se fût fait tard, je vous quittai.
Mais jusqu'à l'aube errant, seul, morose, attristé,
Contant ma jeune peine au lunaire mystère,

Je sentais remonter comme d'amers parfums
Ces musiques d'adieu qui scellaient sous la terre
Et mon rêve d'amour et mes espoirs défunts.

MAZURKA

Rien ne captive autant que ce particulier
Charme de la musique où ma langueur s'adore,
Quand je poursuis, aux soirs, le reflet que mordore
Maint lustre au tapis vert du salon familier.

Que j'aime entendre alors, plein de deuil singulier,
Monter du piano, comme d'une mandore,
Le rythme somnolent où ma névrose odore
Son spasme funéraire et cherche à s'oublier !

Gouffre intellectuel, ouvre-toi, large et sombre.
Malgré que toute joie en ta tristesse sombre,
J'y peux trouver encor comme un reste d'oubli,

Si mon âme se perd dans les gammes étranges
De ce motif en deuil que Chopin a poli
Sur un rythme inquiet appris des noirs Archanges.

FRISSON D'HIVER

Les becs de gaz sont presque clos :
Chauffe mon cœur dont les sanglots
S'épanchent dans ton cœur par flots,
      Gretchen !

Comme il te dit de mornes choses,
Ce clavecin de mes névroses,
Rythmant le deuil hâtif des roses,
      Gretchen !

Prends-moi le front, prends-moi les mains,
Toi, mon trésor de rêves maints
Sur les juvéniles chemins,
      Gretchen !

Quand le givre qui s'éternise
Hivernalement s'harmonise
Aux vieilles glaces de Venise,
      Gretchen !

Et que nos deux gros chats persans
Montrent des yeux reconnaissants
Près de l'âtre aux feux bruissants,
      Gretchen !

Et qu'au frisson de la veillée,
S'élance en tendresse affolée
Vers toi mon âme inconsolée,
      Gretchen !

Chauffe mon cœur, dont les sanglots
S'épanchent dans ton cœur par flots.
Les becs de gaz sont presque clos...
      Gretchen !

SOIRS D'OCTOBRE

— Oui, je souffre, ces soirs, démons mornes, chers Saints.
— On est ainsi toujours au soupçon des Toussaints.
— Mon âme se fait dune à funèbres hantises.
— Ah! donne-moi ton front, que je calme tes crises.

— Que veux-tu? je suis tel, je suis tel dans ces villes,
Boulevardier funèbre échappé des balcons,
Et dont le rêve élude, ainsi que des faucons,
L'affluence des sots aux atmosphères viles.

Que veux tu? je suis tel... Laisse-moi reposer
Dans la langueur, dans la fatigue et le baiser,
Chère, bien-aimée âme où vont les espoirs sobres...

Écoute! ô ce grand soir, empourpré de colères,
Qui, galopant, vainqueur des batailles solaires,
Arbore l'Étendard triomphal des Octobres!

VIRGILIENNES

AUTOMNE

Comme la lande est riche aux heures empourprées,
Quand les cadrans du ciel ont sonné les vesprées !

Quels longs effeuillements d'angélus par les chênes !
Quels suaves appels des chapelles prochaines !

Là-bas, groupes meuglants de grands bœufs aux yeux glauques
Vont menés par des gars aux bruyants soliloques.

La poussière déferle en avalanches grises
Pleines du chaud relent des vignes et des brises.

Un silence a plu dans les solitudes proches :
Des Sylphes ont cueilli le parfum mort des cloches.

Quelle mélancolie ! Octobre, octobre en voie !
Watteau ! que je vous aime, Autran, ô Millevoye !

NUIT D'ÉTÉ

Le violon, d'un chant très profond de tristesse,
Remplit la douce nuit, se mêle au son des cors;
Les Sylphes vont pleurant comme une âme en détresse
Et les cœurs des grands ifs ont des plaintes de morts.

Le souffle du Veillant anime chaque feuille,
Le rameau se balance en un rythme câlin,
Les oiseaux sont rêveurs, et sous l'œil opalin
De la lune d'été, ma douleur se recueille.

Au concert susurré que font sous la ramure
Les grillons, ces lutins en quête de sabbat,
Soudain a résonné toute, en mon cœur qui bat,

La grande majesté de la Nuit qui murmure
Dans les cieux alanguis un ramage lointain,
Prolongé jusqu'à l'aube humide du Matin.

RÊVE DE WATTEAU

Quand les pastours, aux soirs des crépuscules roux
Menant leurs grands boucs noirs aux râles d'or des flûtes,
Vers le hameau natal, de par delà les buttes,
S'en revenaient, le long des champs piqués de houx;

Bohèmes écoliers, âmes vierges de luttes,
Pleines de blanc naguère et de jours sans courroux,
En rupture d'étude, aux bois jonchés de brous
Nous allions, gouailleurs, prêtant l'oreille aux chutes

Des ruisseaux, dans le val que longeait en jappant
Le petit chien berger des calmes fils de Pan
Dont le pipeau qui pleure appelle, tout au loin.

Puis, las, nous nous couchions, frissonnants jusqu'aux
                                        [moelles,
Et parfois, radieux, dans nos palais de foin
Nous déjeunions d'aurore et nous soupions d'étoiles...

TARENTELLE D'AUTOMNE

Vois-tu près des cohortes bovines
Choir les feuilles dans les ravines,
    Dans les ravines?

Vois-tu sur le coteau des années
Choir mes illusions fanées,
    Toutes fanées?

Avec quelles rageuses prestesses
Court la bise de nos tristesses,
    De mes tristesses!

Vois-tu, près des cohortes bovines
Choir les feuilles dans les ravines,
    Dans les ravines?

Ma sérénade d'octobre enfle une
Funéraire voix à la lune,
    Au clair de lune.

Avec quelles rageuses prestesses,
Court la bise de nos tristesses,
    De mes tristesses!

Le doguet bondit dans la vallée.
Allons-nous-en par cette allée,
    La morne allée!

Ma sérénade d'octobre enfle une
Funéraire voix à la lune,
    Au clair de lune.

On dirait que chaque arbre divorce
Avec sa feuille et son écorce,
    Sa vieille écorce.

Ah! vois sur la pente des années
Choir mes illusions fanées,
    Toutes fanées!

PRESQUE BERGER

Les Brises ont brui comme des litanies
Et la flûte s'exile en molles aphonies.

Les grands bœufs sont rentrés. Ils meuglent dans l'étable
Et la soupe qui fume a réjoui la table.

Fais ta prière, ô Pan ! Allons au lit, mioche,
Que les bras travailleurs se calment de la pioche.

Le clair de lune ondoie aux horizons de soie :
Ô sommeil ! donnez-moi votre baiser de joie.

Tout est fermé. C'est nuit. Silence... Le chien jappe.
Je me couche. Pourtant le Songe à mon cœur frappe.

Oui, c'est délicieux, cela, d'être ainsi libre
Et de vivre en berger presque... Un souvenir vibre

En moi... Là-bas, au temps de l'enfance, ma vie
Coulait ainsi, loin des sentiers, blanche et ravie !

JARDIN SENTIMENTAL

Là, nous nous attardions aux nocturnes tombées,
Cependant qu'alentour un vol de scarabées
Nous éblouissait d'or sous les lueurs plombées.

De grands chevaux de pourpre erraient, sanguinolents,
Par les célestes turfs, et je tenais, tremblants,
Tes doigts entre mes mains, comme un nid d'oiseaux
                                        [blancs.

Or, tous deux, souriant à l'étoile du soir,
Nous sentions se lever des lumières d'espoir
En notre âme fermée ainsi qu'un donjon noir.

Le vieux perron croulant parmi l'effroi des lierres,
Nous parlait des autans qui chantaient dans les pierres
De la vieille demeure aux grilles familières.

Puis l'Angélus, devers les chapelles prochaines,
Tintait d'une voix grêle, et, sans rompre les chaînes,
Nous allions dans la Nuit qui priait sous les chênes.

Foulant les touffes d'herbe où le cri-cri se perd,
Invisibles, au loin, dans un grand vaisseau vert,
Nous rêvions de monter aux astres de Vesper.

LES PETITS OISEAUX

Puisque Rusbrock m'enseigne
À moi, dont le cœur saigne
Sur tout ce qui se baigne
    Dans le malheur,
À vous aimer, j'élève
Ma pensée à ce rêve :
De vous faire une grève
    Avec mon cœur.

Là donc, oiseaux sauvages,
Contre tous les ravages,
Vous aurez vos rivages
    Et vos abris :
Colombes, hirondelles,
Entre mes mains fidèles,
Oiseaux aux clairs coups d'ailes,
    Ô colibris !

Sûrs vous pourrez y vivre
Sans peur des soirs de givre,
Où sous l'astre de cuivre,
    Morne flambeau !
Souventes fois, cortège
Qu'un vent trop dur assiège,
Vous trouvez sous la neige
    Votre tombeau.

Protégés sans relâche,
Ainsi contre un plomb lâche,
Quand je clorai ma tâche,
    Membres raidis ;
Vous, par l'immense voûte
Me guiderez sans doute,
Connaissant mieux la route
    Du Paradis !

VIOLON DE VILLANELLE

Sous le clair de lune au frais du vallon,
Beaux gars à chefs bruns, belles à chef blond,
Au son du hautbois ou du violon
    Dansez la villanelle.

La lande est noyée en des parfums bons.
Attisez la joie au feu des charbons ;
Allez-y gaiement, allez-y par bonds,
    Dansez la villanelle.

Sur un banc de chêne ils sont là, les vieux,
Vous suivant avec des pleurs dans les yeux,
Lorsqu'en les frôlant vous passez joyeux...
    Dansez la villanelle.

Allez-y gaiement ! que l'orbe d'argent
Croise sur vos fronts son reflet changeant ;
Bien avant dans la nuit, à la Saint-Jean
    Dansez la villanelle !

BERGÈRE

Vous que j'aimai sous les grands houx,
Aux soirs de bohème champêtre,
Bergère, à la mode champêtre,
De ces soirs vous souvenez-vous ?
Vous étiez l'astre à ma fenêtre
Et l'étoile d'or dans les houx.

Aux soirs de bohème champêtre
Vous que j'aimai sous les grands houx,
Bergère, à la mode champêtre,
Où donc maintenant êtes-vous ?
— Vous êtes l'ombre à ma fenêtre
Et la tristesse dans les houx.

EAUX-FORTES FUNÉRAIRES

LES VIEILLES RUES

Que vous disent les vieilles rues
    Des vieilles cités?...
Parmi les poussières accrues
De leurs vétustés,
Rêvant de choses disparues,
Que vous disent les vieilles rues?

Alors que vous y marchez tard
    Pour leur rendre hommage :
— «De plus d'une âme de vieillard
    Nous sommes l'image»,
Disent-elles dans le brouillard,
Alors que vous y marchez tard.

«Comme d'anciens passants nocturnes
    «Qui longent nos murs,
«En eux ayant les noires urnes
    «De leurs airs impurs,
«S'en vont les Remords taciturnes
«Comme d'anciens passants nocturnes.»

Voilà ce que dans les cités
Maintes vieilles rues
Disent parmi les vétustés
Des choses accrues
Parmi vos gloires disparues,
Ô mornes et mortes cités !

SOIRS D'AUTOMNE

Voici que la tulipe et voilà que les roses,
Sous le geste massif des bronzes et des marbres,
Dans le Parc où l'Amour folâtre sous les arbres,
Chantent dans les longs soirs monotones et roses.

Dans les soirs a chanté la gaîté des parterres
Où danse un clair de lune en des poses obliques,
Et de grands souffles vont, lourds et mélancoliques,
Troubler le rêve blanc des oiseaux solitaires.

Voici que la tulipe et voilà que les roses
Et les lys cristallins, pourprés de crépuscule,
Rayonnent tristement au soleil qui recule,
Emportant la douleur des bêtes et des choses.

Et mon amour meurtri, comme une chair qui saigne,
Repose sa blessure et calme ses névroses.
Et voici que les lys, la tulipe et les roses
Pleurent les souvenirs où mon âme se baigne.

LES CORBEAUX

J'ai cru voir sur mon cœur un essaim de corbeaux
En pleine lande intime avec des vols funèbres,
De grands corbeaux venus de montagnes célèbres
Et qui passaient au clair de lune et de flambeaux.

Lugubrement, comme en cercle sur des tombeaux
Et flairant un régal de carcasses de zèbres,
Ils planaient au frisson glacé de mes vertèbres,
Agitant à leurs becs une chair en lambeaux.

Or, cette proie échue à ces démons des nuits
N'était autre que ma Vie en loque, aux ennuis
Vastes qui vont tournant sur elle ainsi toujours

Déchirant à larges coups de bec, sans quartier,
Mon âme, une charogne éparse au champ des jours,
Que ces vieux corbeaux dévoreront en entier.

LE CORBILLARD

Par des temps de brouillard, de vent froid et de pluie,
Quand l'azur a vêtu comme un manteau de suie,
Fête des anges noirs! dans l'après-midi, tard,
Comme il est douloureux de voir un corbillard,
Traîné par des chevaux funèbres, en automne,
S'en aller cahotant au chemin monotone,
Là-bas, vers quelque gris cimetière perdu,
Qui lui-même, comme un grand mort gît étendu!
L'on salue, et l'on est pensif au son des cloches
Élégiaquement dénonçant les approches
D'un après-midi tel aux rêves du trépas.
Alors nous croyons voir, ralentissant nos pas,
À travers des jardins rouillés de feuilles mortes,
Pendant que le vent tord des crêpes à nos portes,
Sortir de nos maisons, comme des cœurs en deuil,
Notre propre cadavre enclos dans le cercueil.

LE PERROQUET

Aux jours de sa vieille détresse
Elle avait, la pauvre négresse,
Gardé cet oiseau d'allégresse.

Ils habitaient, au coin hideux,
Un de ces réduits hasardeux,
Au faubourg lointain, tous les deux.

Lui, comme jadis à la foire,
Il jacassait les jours de gloire
Perché sur son épaule noire.

La vieille écoutait follement,
Croyant que par l'oiseau charmant
Causait l'âme de son amant.

Car le poète chimérique,
Avec une verve ironique
À la crédule enfant d'Afrique

Avait conté qu'il s'en irait,
À son trépas, vivre en secret
Chez l'âme de son perroquet.

C'est pourquoi la vieille au front chauve,
À l'heure où la clarté se sauve,
Interrogeait l'oiseau, l'œil fauve.

Mais lui riait, criant toujours,
Du matin au soir tous les jours :
« Ha ! Ha ! Ha ! Gula, mes amours ! »

Elle en mourut dans un cri rauque,
Croyant que sous le soliloque
Inconscient du bavard glauque,

L'amant défunt voulait, moqueur,
Railler l'amour de son vieux cœur.
Elle en mourut dans la rancœur.

L'oiseau pleura ses funérailles,
Puis se fit un nid de pierrailles
En des ruines de murailles.

Mais il devint comme hanté ;
Et quand la nuit avait chanté
Au clair du ciel diamanté,

On eût dit, à voir sa détresse,
Qu'en lui pleurait, dans sa tendresse,
L'âme de la pauvre négresse.

BANQUET MACABRE

À la santé du rire ! Et j'élève ma coupe,
Et je bois follement comme un rapin joyeux.
Ô le rire ! Ha ! ha ! ha ! qui met la flamme aux yeux,
Ce vaisseau d'or qui glisse avec l'amour en poupe !

Vogue pour la gaieté de Riquet-à-la-Houppe !
En bons bossus joufflus gouaillons pour le mieux.
Que les bruits du cristal éveillent nos aïeux
Du grand sommeil de pierre où s'entasse leur groupe.

Ils nous viennent, claquant leurs vieux os : les voilà !
Qu'on les assoie en ronde au souper de gala.
À la santé du rire et des pères squelettes !

Versez le vin funèbre aux verres par longs flots,
Et buvons à la Mort dans leurs crânes, poètes,
Pour étouffer en nous la rage des sanglots !

CONFESSION NOCTURNE

Prêtre, je suis hanté, c'est la nuit dans la ville,
Mon âme est le donjon des mortels péchés noirs,
Il pleut une tristesse horrible aux promenoirs
Et personne ne vient de la plèbe servile.

Tout est calme et tout dort. La solitaire Ville
S'aggrave de l'horreur vaste des vieux manoirs.
Prêtre, je suis hanté, c'est la nuit dans la ville;
Mon âme est le donjon des mortels péchés noirs.

En le parc hivernal, sous la bise incivile,
Lucifer rôde et va raillant mes désespoirs
Très fous!... Le suicide aiguise ses coupoirs!
Pour se pendre, il fait bon sous cet arbre tranquille...
....
Prêtre, priez pour moi, c'est la nuit dans la ville!...

LE TOMBEAU DE LA NÉGRESSE

Après que nous eut fuis le grand vent des hivers,
Aux derniers ciels pâlis de mars, nous la menâmes
Dans le hallier funèbre aux odeurs de cinnames,
Où germaient les soupçons de nouveaux plants rouverts.

De hauts rameaux étaient criblés d'oiseaux divers
Et de tristes soupirs gonflaient leurs jeunes âmes.
Au limon moite et brut où nous la retournâmes,
Que l'Africaine dorme en paix dans les mois verts !

Le sol pieusement recouvrira ses planches ;
Et le bon bengali, dans son château de branches,
Pleurera sur maint thème un peu de ses vingt ans.

Peut-être, revenus en un lointain printemps,
Verrons-nous, de son cœur, dans les buissons latents,
Éclore un grand lys noir entre des roses blanches.

LE CERCUEIL

Au jour où mon aïeul fut pris de léthargie,
Par mégarde on avait apporté son cercueil;
Déjà l'étui des morts s'ouvrait pour son accueil,
Quand son âme soudain ralluma sa bougie.

Et nos âmes, depuis cet horrible moment,
Gardaient de ce cercueil de grandes terreurs sourdes;
Nous croyions voir l'aïeul au fond des fosses lourdes,
Hagard, et se mangeant dans l'ombre éperdument.

Aussi quand l'un mourait, père ou frère atterré
Refusait sa dépouille à la boîte interdite,
Et ce cercueil, au fond d'une chambre maudite,
Solitaire et muet, plein d'ombre, est demeuré.

Il me fut défendu pendant longtemps de voir
Ou de porter les mains à l'objet qui me hante...
Mais depuis, sombre errant de la forêt méchante
Où chaque homme est un tronc marquant mon souci noir,

J'ai grandi dans le goût bizarre du tombeau,
Plein du dédain de l'homme et des bruits de la terre,
Tel un grand cygne noir qui s'éprend de mystère,
Et vit à la clarté du lunaire flambeau.

Et j'ai voulu revoir, cette nuit, le cercueil
Qui me troubla jusqu'en ma plus ancienne année;
Assaillant d'une clé sa porte surannée
J'ai pénétré sans peur en la chambre de deuil.

Et là, longtemps je suis resté, le regard fou,
Longtemps, devant l'horreur macabre de la boîte;
Et j'ai senti glisser sur ma figure moite
Le frisson familier d'une bête à son trou.

Et je me suis penché pour l'ouvrir, sans remords
Baisant son front de chêne ainsi qu'un front de frère;
Et, mordu d'un désir joyeux et funéraire,
Espérant que le ciel m'y ferait tomber mort.

PETITE CHAPELLE

CHAPELLE DANS LES BOIS

Nous étions là deux enfants blêmes
Devant les grands autels à franges,
Où Sainte Marie et ses anges
Riaient parmi les chrysanthèmes.

Le soir poudrait dans la nef vide ;
Et son rayon à flèche jaune,
Dans sa rigidité d'icône
Effleurait le grand Saint livide.

Nous étions là deux enfants tristes,
Buvant la paix du sanctuaire,
Sous la veilleuse mortuaire
Aux vagues reflets d'améthyste.

Nos voix en extase à cette heure
Montaient en rogations blanches,
Comme un angélus des dimanches,
Dans le lointain, qui prie et pleure...

Puis nous partions... Je me rappelle !
Les bois dormaient au clair de lune,
Dans la nuit tiède où tintait une
Voix de la petite chapelle...

SAINTE CÉCILE

La belle Sainte au fond des cieux
Mène l'orchestre archangélique,
Dans la lointaine basilique
Dont la splendeur hante mes yeux.

Depuis que la Vierge biblique
Lui légua ce poste pieux,
La belle Sainte au fond des cieux,
Mène l'orchestre archangélique.

Loin du monde diabolique
Puissé-je, un soir mystérieux,
Ouïr, dans les divins milieux
Ton clavecin mélancolique,
Ma belle Sainte, au fond des cieux.

BILLET CÉLESTE

Plein de spleen nostalgique et de rêves étranges,
Un soir je m'en allai chez la Sainte adorée,
Où se donnait, dans la salle de l'Empyrée,
Pour la fête du Ciel, le récital des anges.

Et nul garde pour lors ne veillant à l'entrée,
Je vins, le corps vêtu d'une tunique à franges,
Le soir où l'on chantait chez la Sainte adorée,
Plein de spleen nostalgique et de rêves étranges.

Des dames défilaient dans des robes oranges ;
Les célestes laquais portaient haute livrée,
Et, ma demande étant par Cécile agréée,
Je l'écoutai jouer aux divines phalanges,
Plein de spleen nostalgique et de rêves étranges !

RÊVE D'UNE NUIT D'HÔPITAL

Cécile était en blanc, comme aux tableaux illustres
Où la Sainte se voit, un nimbe autour du chef.
Ils étaient au fauteuil Dieu, Marie et Joseph ;
Et j'entendis cela debout près des balustres.

Soudain au flamboiement mystique des grands lustres,
Éclata l'harmonie étrange au rythme bref,
Que la harpe brodait de sons en relief...
Musique de la terre, ah ! taisez vos voix rustres !...

Je ne veux plus pécher, je ne veux plus jouir,
Car la sainte m'a dit que pour encor l'ouïr,
Il me fallait vaquer à mon salut sur terre.

Et je veux retourner au prochain récital
Qu'elle me doit donner au pays planétaire,
Quand les anges m'auront sorti de l'hôpital.

LE CLOÎTRE NOIR

Ils défilent au chant étouffé des sandales,
Le chef bas, égrenant de massifs chapelets,
Et le soir qui s'en vient, du sang de ses reflets
Mordore la splendeur funéraire des dalles.

Ils s'effacent soudain, comme en de noirs dédales,
Au fond des corridors pleins de pourpres relais
Où de grands anges peints aux vitraux verdelets
Interdisent l'entrée aux terrestres scandales.

Leur visage est funèbre, et dans leurs yeux sereins
Comme les horizons vastes des cieux marins,
Flambe l'austérité des froides habitudes.

La lumière céleste emplit leur large esprit,
Car l'Espoir triomphant creusa les solitudes
De ces silencieux spectres de Jésus-Christ.

LES COMMUNIANTES

Calmes, elles s'en vont, défilant aux allées
De la chapelle en fleurs, et je les suis des yeux,
Religieusement joignant mes doigts pieux,
Plein de l'ardent regret des ferveurs en allées.

Voici qu'elles se sont toutes agenouillées
Au mystique repas qui leur descend des cieux,
Devant l'autel piqué de flamboiements joyeux
Et d'une floraison de fleurs immaculées.

Leur séraphique ardeur fut si lente à finir
Que tout à l'heure encore, à les voir revenir
De l'agape céleste au divin réfectoire,

Je crus qu'elles allaient vraiment prendre l'essor,
Comme si, se glissant sous leurs voiles de gloire,
Un ange leur avait posé des ailes d'or.

LES DÉICIDES

I

Ils étaient là, les Juifs, les tueurs de prophètes,
Quand le sanglant Messie expirait sur la croix;
Ils étaient là, railleurs et bourreaux à la fois;
Et Sion à son crime entremêlait des fêtes.

Or, voici que soudain, sous le vent des tempêtes,
Se déchira le voile arraché des parois.
Les Maudits prirent fuite : on eût dit que le poids
De leur forfait divin s'écroulait sur leurs têtes.

Depuis, de par la terre, en hordes de damnés,
Comme des chiens errants, ils s'en vont, condamnés
Au remords éternel de leur race flétrie,

Trouvant partout, le long de leur âpre chemin,
Le mépris pour pitié, les ghettos pour patrie,
Pour aumône l'affront lorsqu'ils tendront la main.

II

D'autres sont là, pareils à ces immondes hordes,
Écrasant le Sauveur sous des monts de défis,
Alors qu'Il tend vers eux, du haut des crucifix,
Ses deux grands bras de bronze en sublimes exordes.

Écumant du venin des haineuses discordes
Et crachant un blasphème au Pain que tu leur fis,
Ils passent. Or, ceux-là, mon Dieu, qu'on dit tes fils,
Te hachent à grands coups de symboliques cordes.

Aussi, de par l'horreur des infinis exils,
Lamentables troupeaux, ces sacrilèges vils
S'en iront, fous de honte, aux nuits blasphématoires,

Alors que sur leur front, mystérieux croissant,
Luira, comme un blason de leurs tortures noires,
Le stigmate éternel de quelque hostie en sang.

LA MORT DU MOINE

Voici venir les tristes frères
Vers la cellule où tu te meurs.
Ton esprit est plein de clameurs
Et de musiques funéraires.

Apportez-lui le Viatique.
Saint Bénédict, aidez sa mort !
Bien que faible, faites-le fort
Sous votre sainte égide antique.

Ainsi soit-il au cœur de Dieu !
Clément, dis un riant adieu
Aux liens impurs de cette terre.

Et pars, rentre dans ton Espoir.
Que les bronzes du monastère
Sonnent ton âme au ciel ce soir !

DIPTYQUE

En une très vieille chapelle
Je sais un diptyque flamand
Où Jésus, près de sa maman,
Creuse le sable avec sa pelle.

Non peint par Rubens ou Memling,
Mais digne de leurs galeries ;
La Vierge, en blanches draperies,
Au rouet blanc file son lin.

La pelle verdelette peinte
Scintille aux mains grêles de Dieu ;
Le soleil brûle un rouge adieu
Là-bas, devers Sion la sainte.

Le jeune enfant devant la hutte
Du charpentier de Nazareth
Entasse un amas qu'on dirait
Être l'assise d'une butte.

Jésus en jouant s'est sali ;
Ses doigts sont tachetés de boue,
Et le travail sur chaque joue,
A mis comme un rayon pâli.

Quelle est cette tâche sévère
Que Jésus si précoce apprit ?
Posait-il donc en son esprit
Les bases d'un futur Calvaire ?

CHAPELLE RUINÉE

Et je retourne encor frileux, au jet des bruines,
Par les délabrements du parc d'octobre. Au bout
De l'allée où se voit ce grand Jésus debout,
Se massent des soupçons de chapelle en ruines.

Je refoule, parmi viornes, vipérines,
Rêveur, le sol d'antan où gîte le hibou ;
L'Érable sous le vent se tord comme un bambou.
Et je sens se briser mon cœur dans ma poitrine.

Cloches des âges morts sonnant à timbres noirs
Et les tristesses d'or, les mornes désespoirs,
Portés par un parfum que le rêve rappelle,

Ah ! comme, les genoux figés au vieux portail,
Je pleure ces débris de petite chapelle...
Au mur croulant, fleuri d'un reste de vitrail !

LA RÉPONSE DU CRUCIFIX

En expirant sur l'arbre affreux du Golgotha,
De quel regret ton âme, ô Christ, fut-elle pleine ?
Était-ce de laisser Marie et Madeleine
Et les autres, au roc où la Croix se planta ?

Quand le funèbre chœur sans Toi se lamenta,
Et que les clous crispaient tes mains ; quand, par la plaine,
Ton âme eut dispersé la fleur de son haleine,
Devançant ton essor vers le céleste État ;

Quel fut ce grand soupir de tristesse infinie
Qui s'exhala de Toi lorsque, l'œuvre finie,
Tu t'apprêtais enfin à regagner le But ?

Me dévoileras-tu cet intime mystère ?
— Ce fut de ne pouvoir, jeune homme, le fiel bu,
Serrer contre mon cœur mes bourreaux sur la Terre !

LES CARMÉLITES

Parmi l'ombre du cloître elles vont solennelles,
Et leurs pas font courir un frisson sur les dalles,
Cependant que du bruit funèbre des sandales
Monte un peu la rumeur chaste qui chante en elles.

Au séraphique éclat des austères prunelles
Répondent les flambeaux en des gammes modales ;
Parmi le froid du cloître elles vont solennelles,
Et leurs pas font des chants de velours sur les dalles.

Une des leurs retourne aux landes éternelles
Trouver enfin l'oubli du monde et des scandales
Vers sa couche de mort, au fond de leurs dédales ;
C'est pourquoi, cette nuit, les nonnes fraternelles
Dans leur cloître longtemps ont marché solennelles.

NOTRE-DAME DES NEIGES

Sainte Notre-Dame, en beau manteau d'or,
    De sa lande fleurie
Descend chaque soir, quand son Jésus dort
    En sa Ville-Marie.
Sous l'astral flambeau que portent ses anges,
    La belle Vierge va
Triomphalement, aux accords étranges
    De céleste bîva.

Sainte Notre-Dame a là-haut son trône
    Sur notre Mont-Royal ;
Et de là, son œil subjugue le Faune
    De l'abîme infernal.
Car elle a dicté : « Qu'un ange protège
    De son arme de feu
Ma ville d'argent au collier de neige »,
    La Dame du Ciel bleu !

Sainte Notre-Dame, ô tôt nous délivre
De tout joug pour le tien ;
Chasse l'étranger ! Au pays de givre
Sois-nous force et soutien.
Ce placet fleuri de choses dorées,
Puisses-tu de tes yeux,
Bénigne, le lire aux roses vesprées,
Quand tu nous viens des Cieux !

Sainte Notre-Dame a pleuré longtemps
Parmi ses petits anges ;
Tellement, dit-on, qu'en les cieux latents
Se font des bruits étranges,
Et que notre Vierge entraînant l'Éden,
Ô floraison chérie !
Va tôt refleurir en même jardin
Sa France et sa Ville-Marie...

PRIÈRE DU SOIR

Lorsque tout bruit était muet dans la maison,
Et que mes sœurs dormaient dans des poses lassées
Aux fauteuils anciens d'aïeules trépassées,
Et que rien ne troublait le tacite frisson,

Ma mère descendait à pas doux de sa chambre;
Et, s'asseyant devant le clavier noir et blanc,
Ses doigts faisaient surgir de l'ivoire tremblant
La musique mêlée aux lunes de septembre.

Moi, j'écoutais, cœur dans la peine et les regrets,
Laissant errer mes yeux vagues sur le Bruxelles,
Ou, dispersant mon rêve en noires étincelles,
Les levant pour scruter l'énigme des portraits.

Et cependant que tout allait en somnolence
Et que montaient les sons mélancoliquement,
Au milieu du tic-tac du vieux Saxe allemand,
Seuls bruits intermittents qui coupaient le silence,

La nuit s'appropriait peu à peu les rideaux
Avec des frissons noirs à toutes les croisées,
Par ces soirs, et malgré les bûches embrasées,
Comme nous nous sentions soudain du froid au dos !

L'horloge chuchotant minuit au deuil des lampes,
Mes sœurs se réveillaient pour regagner leur lit,
Yeux mi-clos, chevelure éparse, front pâli,
Sous l'assoupissement qui leur frôlait les tempes ;

Mais au salon empli de lunaires reflets,
Avant de remonter pour le calme nocturne,
C'était comme une attente inerte et taciturne,
Puis, brusque, un cliquetis d'argent de chapelets...

Et pendant que de Liszt les sonates étranges
Lentement achevaient de s'endormir en nous,
La famille faisait la prière à genoux
Sous le lointain écho du clavecin des anges.

PASTELS ET PORCELAINES

FANTAISIE CRÉOLE

Or, la pourpre vêt la véranda rose
Au motif câlin d'une mandoline,
En des sangs de soir, aux encens de rose,
Or, la pourpre vêt la véranda rose.

Parmi les eaux d'or des vases d'Égypte,
Se fanent en bleu, sous les zéphirs tristes,
Des plants odorants qui trouvent leur crypte
Parmi les eaux d'or des vases d'Égypte.

La musique embaume et l'oiseau s'en grise;
Les cieux ont mené leurs valses astrales;
La Tendresse passe aux bras de la brise;
La musique embaume, et l'âme s'en grise.

Et la pourpre vêt la véranda rose,
Et dans l'Éden de sa Louisiane,
Parmi le silence, aux encens de rose,
La créole dort en un hamac rose.

LES BALSAMINES

En un fauteuil sculpté de son salon ducal,
La noble Viennoise, en gaze violette,
De ses doigts ivoirins pieusement feuillette
Le vélin s'élimant d'un missel monacal.

Et sa mémoire évoque, en rêve musical,
Ce pauvre guitariste aux yeux où se reflète
Le pur amour de l'art, qui, près de sa tablette,
Venait causer, humant des fleurs dans un bocal.

La lampe au soir vacille et le vieux Saxe sonne ;
Son livre d'heures épars, Madame qui frissonne
Regagne le grand lit d'argent digne des rois.

Des pleurs mouillent ses cils... Au fier blason des portes
Quand l'aube eut reflambé, sur le tapis hongrois
Le missel révélait des balsamines mortes...

LE ROI DU SOUPER

Grave en habit luisant, un vieux nègre courbé,
Va, vient de tous côtés à pas vifs d'estafette :
Le paon truffé qui fume envoie une bouffette
Du clair plateau d'argent jusqu'au plafond bombé.

Le triomphal service, au buffet dérobé,
Flambe. Toute la salle en lueur d'or s'est faite ;
À la table massive ils sont là pour la fête,
Tous, depuis le grand-oncle au plus petit bébé.

Soudain, la joie éclate et trille, franche et belle :
Le dernier-né, bambin qui souvent se rebelle,
Se pose sur la nappe où fleurit maint détail.

On applaudit. Sambo pâmé s'en tient les hanches,
Cependant que, voilant son chef sous l'éventail,
Grand'mère essuie un peu ses deux paupières blanches.

PAYSAGE FAUVE

Les arbres comme autant de vieillards rachitiques,
Flanqués vers l'horizon sur les escarpements,
Tordent de désespoir leurs torses fantastiques,
Ainsi que des damnés sous le fouet des tourments.

C'est l'Hiver ; c'est la Mort ; sur les neiges arctiques,
Vers le bûcher qui flambe aux lointains campements,
Les chasseurs vont frileux sous leurs lourds vêtements,
Et galopent, fouettant leurs chevaux athlétiques.

La bise hurle ; il grêle ; il fait nuit, tout est sombre ;
Et voici que soudain se dessine dans l'ombre
Un farouche troupeau de grands loups affamés ;

Ils bondissent, essaims de fauves multitudes,
Et la brutale horreur de leurs yeux enflammés,
Allume de points d'or les blanches solitudes.

ÉVENTAIL

Dans le salon ancien à guipure fanée
Où fleurit le brocart des sophas de Niphon,
Tout peint de grands lys d'or, ce glorieux chiffon
Survit aux bals défunts des dames de lignée.

Mais, ô deuil triomphal ! l'autruche surannée
S'effrange sous les pieds de bronze d'un griffon,
Dans le salon ancien à guipure fanée
Où fleurit le brocart des sophas de Niphon.

Parfois, quand l'heure vibre en sa ronde effrénée,
L'éventail tout à coup revit un vieux frisson,
Tellement qu'on croirait qu'il évente au soupçon
Des doigts mystérieux d'une morte émanée
Dans le salon ancien à guipure fanée.

L'ANTIQUAIRE

Entre ses doigts osseux roulant une ample bague,
L'antiquaire, vieux Juif d'Alger ou de Maroc,
Orfèvre, bijoutier, damasquineur d'estoc,
Au fond de la boutique erre, pause et divague.

Puis, des lampes de fer que frôle l'ombre vague
S'approchant tout fiévreux, le moderne Shylock
Recule, horrifié. Rigide comme un bloc
Il semble au cœur souffrir de balafres de dague.

Malheur ! Ce vieil artiste a trop tard constaté
Que l'anneau Louis XIV à fou prix acheté
N'est qu'un bibelot vil où rit l'infâme fraude.

C'est pourquoi, sous le flot des lustres miroitants,
L'horrible et fauve jet de son œil filtre et rôde
Dans la morne pourpreur des rubis éclatants.

LES CAMÉLIAS

Dans le boudoir tendu de choses de Malines
Tout est désert ce soir, Emmeline est au bal.

Seuls, des Camélias, en un glauque bocal
Ferment languissamment leurs prunelles câlines.

Sur des onyx épars, des bijoux et des bagues
Croisent leurs maints reflets dans des boîtes d'argent.

Tout pleure cette Absente avec des plaintes vagues.
Le perroquet digère un long spleen enrageant.

Le Saxe tinte. Il est aube. Sur l'escalier
Chante un pas satiné dans le frisson des gazes.

Tout s'éveille alourdi des nocturnes extases.
La maîtresse s'annonce au doux bruit du soulier.

Sa main effeuille, lente, un frais bouquet de roses ;
Ses regards sont voilés d'une aurore de pleurs.

Au bal elle a connu les premières douleurs,
Et sa jeunesse songe au vide affreux des choses,

Devant la sèche mort des Camélias roses.

LE SAXE DE FAMILLE

Donc, ta voix de bronze est éteinte :
Te voilà muet à jamais !
L'heure plus ne vibre ou ne tinte
Dans la grand'salle que j'aimais,

Où je venais, après l'étude,
Fumer le soir, rythmant des vers,
Où l'abri du monde pervers
Éternisait ma solitude.

Sur le buffet aux tons noircis
De chêne très ancien, ton ombre
Lamente-t-elle, Saxe sombre,
Toute une époque de soucis ?

Serait-ce qu'un chagrin qui tue
T'a harcelé comme un remords,
Ô grande horloge qui t'es tue
Depuis que les parents sont morts ?

LE SOULIER DE LA MORTE

Ce frêle soulier gris et or,
Aux boucles de soie embaumée,
Tel un mystérieux camée,
Entre mes mains, ce soir, il dort.

Tout à l'heure je le trouvai
Gisant au fond d'une commode...
Petit soulier d'ancienne mode,
Soulier du souvenir... Ave!—

Depuis qu'elle s'en est allée,
Menée aux marches de Chopin,
Dormir pour jamais sous ce pin
Dans la froide et funèbre allée,

Je suis resté toute l'année
Broyé sous un fardeau de fer,
À vivre ainsi qu'en un enfer,
Comme une pauvre âme damnée.

Et maintenant, cœur plein de noir,
Cette vigile de décembre,
Je le trouve au fond de ma chambre,
Soulier que son pied laissa choir.

Celui-là seul me fut laissé,
L'autre est sans doute chez les anges...
....
Et moi je cours pieds nus les fanges...
Mon âme est un soulier percé.

VIEILLE ROMANESQUE

Près de ses pots de fleurs, à l'abri des frimas,
Assise à la fenêtre, et serrant autour d'elle
Son châle japonais, Mademoiselle Adèle
Comme à vingt ans savoure un roman de Dumas.

Tout son boudoir divague en bizarre ramas,
Cloître d'anciennetés, dont elle est le modèle ;
Là s'incrusta l'émail de son culte fidèle :
Vases, onyx, portraits, livres de tous formats.

Sur les coussins épars, un vieux matou de Perse
Ronronne cependant que la vieille disperse
Aux feuillets jaunissants les ennuis de son cœur.

Mais elle ne voit pas, en son rêve attendrie,
Dans la rue, un passant au visage moqueur...
Le joueur glorieux d'orgue de Barbarie !

VIEILLE ARMOIRE

Dors, fouillis vénéré de vieilles porcelaines
Froides comme des yeux de morts, tous clos, tous froids,
Services du Japon qui disent l'autrefois
De maints riches repas de belles châtelaines !

Ton bois a des odeurs moites d'anciennes laines,
Parfums de choses d'or aux fragiles effrois ;
Tes tasses ont causé sur des lèvres de rois
De leurs Hébés, de leurs images peintes, pleines

De pastels lumineux, de vieux jardins fleuris,
Arabesque où le ciel avait de bleus souris...
Reliquaire d'antan, ô grande, ô sombre armoire !

Hier, quand j'entr'ouvris tes portes de bois blond,
Je crus y voir passer la spectrale mémoire
De couples indistincts menés au réveillon.

POTICHE

C'est un vase d'Égypte à riche ciselure,
Où sont peints des sphinx bleus et des lions ambrés :
De profil on y voit, souple, les reins cambrés,
Une immobile Isis tordant sa chevelure.

Flambantes, des nefs d'or se glissent sans voilure
Sur une eau d'argent plane aux tons de ciel marbrés :
C'est un vase d'Égypte à riche ciselure
Où sont peints des sphinx bleus et des lions ambrés.

Mon âme est un potiche où pleurent, dédorés,
De vieux espoirs mal peints sur sa fausse moulure ;
Aussi j'en souffre en moi comme d'une brûlure,
Mais le trépas bientôt les aura tous sabrés...

Car ma vie est un vase à pauvre ciselure.

VÊPRES TRAGIQUES

MUSIQUES FUNÈBRES

Quand, rêvant de la morte et du boudoir absent,
Je me sens tenaillé des fatigues physiques,
Assis au fauteuil noir, près de mon chat persan,
J'aime à m'inoculer de bizarres musiques,
Sous les lustres dont les étoiles vont versant
Leur sympathie au deuil des rêves léthargiques.

J'ai toujours adoré, plein de silence, à vivre
En des appartements solennellement clos,
Où mon âme sonnant des cloches de sanglots,
Et plongeant dans l'horreur, se donne toute à suivre,
Triste comme un son mort, close comme un vieux livre,
Ces musiques vibrant comme un éveil de flots.

Que m'importent l'amour, la plèbe et ses tocsins?
Car il me faut, à moi, des annales d'artiste;
Car je veux, aux accords d'étranges clavecins,
Me noyer dans la paix d'une existence triste
Et voir se dérouler mes ennuis assassins,
Dans le prélude où chante une âme symphoniste.

Je suis de ceux pour qui la vie est une bière
Où n'entrent que les chants hideux des croquemorts,
Où mon fantôme las, comme sous une pierre,
Bien avant dans les nuits cause avec ses remords,
Et vainement appelle, en l'ombre familière
Qui n'a pour l'écouter que l'oreille des morts.

Allons ! que sous vos doigts, en rythme lent et long
Agonisent toujours ces mornes chopinades...
Ah ! que je hais la vie et son noir Carillon !
Engouffrez-vous, douleurs, dans ces calmes aubades,
Ou je me pends ce soir aux portes du salon,
Pour chanter en Enfer les rouges sérénades !

Ah ! funèbre instrument, clavier fou, tu me railles !
Doucement, pianiste, afin qu'on rêve encor !
Plus lentement, plaît-il ?... Dans des chocs de ferrailles,
L'on descend mon cercueil, parmi l'affreux décor
Des ossements épars au champ des funérailles,
Et mon cœur a gémi comme un long cri de cor !...

L'HOMME AUX CERCUEILS

Maître Christian Loftel n'a d'état que celui
De faire des cercueils pour les mortels ses frères,
Au fond d'une boutique aux placards funéraires
Où depuis quarante ans le jour à peine a lui.

À cause de son air étrange, nul vers lui
Ne vient : il a le froid des urnes cinéraires.
Parfois, quelque homme en deuil discute des parères
Et retourne, hanté de ce spectre d'ennui.

Ô sage, qui toujours gardes tes lèvres closes,
Maître Christian Loftel ! tu dois savoir des choses
Qui t'ont creusé le front et t'ont joint les sourcils.

Réponds ! Quand tu construis les planches péremptoires,
Combien d'âmes de morts, au choc de tes outils
Te content longuement leurs posthumes histoires ?

MARCHES FUNÈBRES

J'écoute en moi des voix funèbres
Clamer transcendantalement,
Quand sur un motif allemand
Se rythment ces marches célèbres.

Au frisson fou de mes vertèbres
Si je sanglote éperdument,
C'est que j'entends des voix funèbres
Clamer transcendantalement.

Tel un troupeau spectral de zèbres
Mon rêve rôde étrangement ;
Et je suis hanté tellement
Qu'en moi toujours, dans mes ténèbres,
J'entends geindre des voix funèbres.

LE PUITS HANTÉ

Dans le puits noir que tu vois là
Gît la source de tout ce drame.
Aux vents du soir le cerf qui brame
Parmi les bois conte cela.

Jadis un amant fou, voilà,
Y fut noyé par une femme.
Dans le puits noir que tu vois là
Gît la source de tout ce drame.

Pstt! n'y viens pas! On voit l'éclat
Mystérieux d'un spectre en flamme,
Et l'on entend, la nuit, une âme
Râler comme en affreux gala,
Dans le puits noir que tu vois là.

L'IDIOTE AUX CLOCHES

Elle a voulu trouver les cloches
Du Jeudi-Saint sur les chemins ;
Elle a saigné ses pieds aux roches
À les chercher dans les soirs maints,

    Ah ! lon lan laire,

Elle a meurtri ses pieds aux roches ;
On lui disait : « Fouille tes poches.
— Nenni, sont vers les cieux romains :
Je veux trouver les cloches, cloches,
    Je veux trouver les cloches,
Et je les aurai dans mes mains » ;

Ah ! lon lan laire et lon lan la.

II

Or vers les heures vespérales
Elle allait solitaire, aux bois.
Elle rêvait des cathédrales
Et des cloches dans les beffrois ;

    Ah ! lon lan laire,

Elle rêvait des cathédrales,
Puis tout à coup, en de fous râles
S'élevait tout au loin sa voix :
« Je veux trouver les cloches, cloches
    Je veux trouver les cloches
Et je les aurai dans mes mains » ;
Ah ! lon lan laire et lon lan la.

III

Une aube triste, aux routes croches,
On la trouva dans un fossé.
Dans la nuit du retour des cloches
L'idiote avait trépassé ;

    Ah ! lon lan laire,

Dans la nuit du retour des cloches,
À leurs métalliques approches,
Son rêve d'or fut exaucé :
Un ange mit les cloches, cloches,
    Lui mit toutes les cloches,
Là-haut, lui mit toutes aux mains ;

Ah ! lon lan laire et lon lan la.

LE BŒUF SPECTRAL

Le grand bœuf roux aux cornes glauques
Hante là-bas la paix des champs,
Et va meuglant dans les couchants
Horriblement ses râles rauques.

Et tous ont tu leurs gais colloques
Sous l'orme au soir avec leurs chants.
Le grand bœuf roux aux cornes glauques
Hante là-bas la paix des champs.

Gare, gare aux desseins méchants !
Belles en blanc, vachers en loques,
Prenez à votre cou vos socques !
À travers prés, buissons tranchants,

Fuyez le bœuf aux cornes glauques.

TRISTIA

LE LAC

Remémore, mon cœur, devant l'onde qui fuit
De ce lac solennel, sous l'or de la vesprée,
Ce couple malheureux dont la barque éplorée
Y vint sombrer avec leur amour, une nuit.

Comme tout alentour se tourmente et sanglote !
Le vent verse les pleurs des astres aux roseaux,
Le lys s'y mire ainsi que l'azur plein d'oiseaux,
Comme pour y chercher une image qui flotte.

Mais rien n'en a surgi depuis le soir fatal
Où les amants sont morts enlaçant leurs deux vies,
Et les eaux en silence aux grèves d'or suivies
Disent qu'ils dorment bien sous leur calme cristal.

Ainsi la vie humaine est un grand lac qui dort
Plein, sous le masque froid des ondes déployées,
De blonds rêves déçus, d'illusions noyées,
Où l'Espoir vainement mire ses astres d'or.

L'ULTIMO ANGELO DEL CORREGGIO

Les yeux hagards, la joue pâlie,
Mais le cœur ferme et sans regret,
Dans sa mansarde d'Italie
Le divin Corrège expirait.

Autour de l'atroce grabat,
La bonne famille du maître
Cherche un peu de sa vie à mettre
Dans son cœur à peine qui bat.

Mais la vision cérébrale
Fomente la fièvre du corps,
Et son âme qu'agite un râle,
Sonne de bizarres accords.

Il veut peindre. Très lentement
De l'oreiller il se soulève,
Simulant quelque archange en rêve
En oubli du Ciel un moment.

Son œil fouille la chambre toute,
Et soudain se fixe, étonné.
Il voit son modèle, il n'a doute,
Dans le berceau du dernier né.

Son jeune enfant près du panneau
Tout rose dans le linge orange,
A joint ses petites mains d'ange
Vers le cadre du Bambino.

Et sa filiale prière
À celle de l'Éden fait lien :
Dans du soir d'or italien,
Vision de blanche lumière.

« Vite qu'on m'apporte un pinceau !
« Mes couleurs ! crie le vieil artiste,
« Je veux peindre la pose triste
« De mon enfant dans son berceau.

« Mon pinceau ! délire Corrège,
« Je veux saisir en son essor
« Ce sublime idéal de neige
« Avant qu'il retourne au ciel d'or ! »

Comme il peint ! Comme sur la toile
Le génie coule à flot profond !
C'est un chérubin au chef blond,
En chemise couleur d'étoile.

Mais le peintre, pris tout à coup
D'un hoquet, retombe. Il expire.
Tandis que la sueur au cou
S'est figée en perles de cire.

Ainsi mourut l'artiste étrange
Dont le cœur d'idéal fut plein ;
Qui fit de son enfant un ange,
Avant d'en faire un orphelin.

NOËL DE VIEIL ARTISTE

La bise geint, la porte bat,
Un Ange emporte sa capture.
Noël, sur la pauvre toiture,
Comme un *De Profundis,* s'abat.

L'artiste est mort en plein combat,
Les yeux rivés à sa sculpture.
La bise geint, la porte bat,
Un ange emporte sa capture.

Ô Paradis ! puisqu'il tomba,
Tu pris pitié de sa torture.
Qu'il dorme en bonne couverture,
Il eut si froid sur son grabat !

La bise geint, la porte bat...

LA CLOCHE DANS LA BRUME

Écoutez, écoutez, ô ma pauvre âme ! Il pleure
Tout au loin dans la brume ! Une cloche ! Des sons
Gémissent sous le noir des nocturnes frissons,
Pendant qu'une tristesse immense nous effleure.

À quoi songez-vous donc ? à quoi pensez-vous tant ?...
Vous qui ne priez plus, ah ! serait-ce, pauvresse,
Que vous compareriez soudain votre détresse
À la cloche qui rêve aux angélus d'antan ?...

Comme elle vous geignez, funèbre et monotone,
Comme elle vous tintez dans les brouillards d'automne,
Plainte de quelque église exilée en la nuit,

Et qui regrette avec de sonores souffrances
Les fidèles quittant son enceinte qui luit,
Comme vous regrettez l'exil des Espérances.

CHRIST EN CROIX

Je remarquais toujours ce grand Jésus de plâtre
Dressé comme un pardon au seuil du vieux couvent,
Échafaud solennel à geste noir, devant
Lequel je me courbais, saintement idolâtre.

Or, l'autre soir, à l'heure où le cri-cri folâtre,
Par les prés assombris, le regard bleu rêvant,
Récitant Éloa, les cheveux dans le vent,
Comme il sied à l'Éphèbe esthétique et bellâtre,

J'aperçus, adjoignant des débris de parois,
Un gigantesque amas de lourde vieille croix
Et de plâtre écroulé parmi les primevères ;

Et je restai là, morne, avec les yeux pensifs,
Et j'entendais en moi des marteaux convulsifs
Renfoncer les clous noirs des intimes Calvaires !

SÉRÉNADE TRISTE

Comme des larmes d'or qui de mon cœur s'égouttent,
Feuilles de mes bonheurs, vous tombez toutes, toutes.

Vous tombez au jardin de rêve où je m'en vais,
Où je vais, les cheveux au vent des jours mauvais.

Vous tombez de l'intime arbre blanc, abattues
Çà et là, n'importe où, dans l'allée aux statues.

Couleur des jours anciens, de mes robes d'enfant,
Quand les grands vents d'automne ont sonné l'olifant.

Et vous tombez toujours, mêlant vos agonies,
Vous tombez, mariant, pâles, vos harmonies.

Vous avez chu dans l'aube au sillon des chemins ;
Vous pleurez de mes yeux, vous tombez de mes mains.

Comme des larmes d'or qui de mon cœur s'égouttent,
Dans mes vingt ans déserts vous tombez toutes, toutes.

TRISTESSE BLANCHE

Et nos cœurs sont profonds et vides comme un gouffre,
Ma chère, allons-nous-en, tu souffres et je souffre.

Fuyons vers le castel de nos Idéals blancs,
Oui, fuyons la Matière aux yeux ensorcelants.

Aux plages de Thulé, vers l'île des Mensonges,
Sur la nef des vingt ans fuyons comme des songes.

Il est un pays d'or plein de lieds et d'oiseaux,
Nous dormirons tous deux aux frais lits des roseaux.

Nous nous reposerons des intimes désastres,
Dans des rythmes de flûte, à la valse des astres.

Fuyons vers le château de nos Idéals blancs,
Oh ! fuyons la matière aux yeux ensorcelants.

Veux-tu mourir, dis-moi ? tu souffres et je souffre,
Et nos cœurs sont profonds et vides comme un gouffre.

ROSES D'OCTOBRE

Pour ne pas voir choir les roses d'automne,
Cloître ton cœur mort en mon cœur tué,
Vers des soirs souffrants mon deuil s'est rué,
Parallèlement au mois monotone.

Le carmin tardif et joyeux détonne
Sur le bois dolent de roux ponctué...
Pour ne pas voir choir les roses d'automne,
Cloître ton cœur mort en mon cœur tué.

Là-bas, les cyprès ont l'aspect atone ;
À leur ombre on est vite habitué,
Sous terre un lit frais s'ouvre situé ;
Nous y dormirons tous deux, ma mignonne,

Pour ne pas voir choir les roses d'automne.

MON SABOT DE NOËL

Jésus descend, marmots, chez vous,
Les mains pleines de gais joujoux.

Mettez tous, en cette journée,
Un bas neuf dans la cheminée.

Et soyez bons, ne pleurez pas...
Chut! voici que viennent ses pas.

Il a poussé la grande porte,
Il entre avec ce qu'Il apporte...

Soyez heureux, ô chérubins!
Chefs de Corrège ou de Rubens...

Et dormez bien parmi vos langes,
Ou vous ferez mourir les anges.

Dormez, jusqu'aux gais carillons
Sonnant l'heure des réveillons.

Pour nous, fils errants de Bohême,
Ah ! que l'Ennui fait Noël blême !

Jésus ne descend plus pour nous,
Nous avons trop eu de joujoux.

Mais c'est mainte affre nouveau-née
Dans l'infernale cheminée.

Nous avons tant de désespoir
Que notre sabot en est noir.

Les meurt-de-faim et les artistes
N'ont pour tout bien que leurs cœurs tristes.

LA PASSANTE

Hier, j'ai vu passer, comme une ombre qu'on plaint,
En un grand parc obscur, une femme voilée :
Funèbre et singulière, elle s'en est allée,
Recélant sa fierté sous son masque opalin.

Et rien que d'un regard, par ce soir cristallin,
J'eus deviné bientôt sa douleur refoulée ;
Puis elle disparut en quelque noire allée
Propice au deuil profond dont son cœur était plein.

Ma jeunesse est pareille à la pauvre passante :
Beaucoup la croiseront ici-bas dans la sente
Où la vie à la tombe âprement nous conduit ;

Tous la verront passer, feuille sèche à la brise
Qui tourbillonne, tombe et se fane en la nuit ;
Mais nul ne l'aimera, nul ne l'aura comprise.

SOUS LES FAUNES

Nous nous serrions, hagards, en silencieux gestes,
Aux flamboyants juins d'or, pleins de relents, lassés,
Et tels, rêvassions-nous, longuement enlacés,
Par les grands soirs tombés, triomphalement prestes.

Debout au perron gris, clair — obscuré d'agrestes
Arbres évaporant des parfums opiacés,
Et d'où l'on constatait des marbres déplacés,
Gisant en leur orgueil de massives siestes.

Parfois, cloîtrés au fond des vieux kiosques proches,
Nous écoutions clamer des peuples fous de cloches
Dont les voix aux lointains se perdaient, toutes tues,

Et nos cœurs s'emplissaient toujours de vague émoi
Quand, devant l'œil pierreux des funèbres statues,
Nous nous serrions, hagards, ma Douleur morne et moi.

TÉNÈBRES

La tristesse a jeté sur mon cœur ses longs voiles
Et les croassements de ses corbeaux latents;
Et je rêve toujours au vaisseau des vingt ans,
Depuis qu'il a sombré dans la mer des Étoiles.

Oh! quand pourrai-je encor comme des crucifix
Étreindre entre mes doigts les chères paix anciennes,
Dont je n'entends jamais les voix musiciennes
Monter dans tout le trouble où je geins, où je vis?

Et je voudrais rêver longuement, l'âme entière,
Sous les cyprès de mort, au coin du cimetière
Où gît ma belle enfance au glacial tombeau.

Mais je ne pourrai plus; je sens des bras funèbres
M'asservir au Réel, dont le fumeux flambeau
Embrase au fond des Nuits mes bizarres Ténèbres!

LA ROMANCE DU VIN

Tout se mêle en un vif éclat de gaîté verte.
Ô le beau soir de mai! Tous les oiseaux en chœur,
Ainsi que les espoirs naguères à mon cœur,
Modulent leur prélude à ma croisée ouverte.

Ô le beau soir de mai! le joyeux soir de mai!
Un orgue au loin éclate en froides mélopées;
Et les rayons, ainsi que de pourpres épées,
Percent le cœur du jour qui se meurt parfumé.

Je suis gai! je suis gai! Dans le cristal qui chante,
Verse, verse le vin! verse encore et toujours,
Que je puisse oublier la tristesse des jours,
Dans le dédain que j'ai de la foule méchante!

Je suis gai! Je suis gai! Vive le vin et l'Art!...
J'ai le rêve de faire aussi des vers célèbres,
Des vers qui gémiront les musiques funèbres
Des vents d'automne au loin passant dans le brouillard.

C'est le règne du rire amer et de la rage
De se savoir poète et l'objet du mépris,
De se savoir un cœur et de n'être compris
Que par le clair de lune et les grands soirs d'orage!

Femmes! je bois à vous qui riez du chemin
Où l'Idéal m'appelle en ouvrant ses bras roses;
Je bois à vous surtout, hommes aux fronts moroses
Qui dédaignez ma vie et repoussez ma main!

Pendant que tout l'azur s'étoile dans la gloire,
Et qu'un hymne s'entonne au renouveau doré,
Sur le jour expirant je n'ai donc pas pleuré,
Moi qui marche à tâtons dans ma jeunesse noire!

Je suis gai! je suis gai! Vive le soir de mai!
Je suis follement gai, sans être pourtant ivre!...
Serait-ce que je suis enfin heureux de vivre;
Enfin mon cœur est-il guéri d'avoir aimé?

Les cloches ont chanté; le vent du soir odore...
Et pendant que le vin ruisselle à joyeux flots,
Je suis si gai, si gai, dans mon rire sonore,
Oh! si gai, que j'ai peur d'éclater en sanglots!

Postface

LA FORTUNE LITTÉRAIRE
D'ÉMILE NELLIGAN

par Réjean Beaudoin

Émile Nelligan est né le 24 décembre 1879, à Montréal. Son père, David Nelligan, immigrant irlandais arrivé au Canada vers 1855, avait épousé Émilie Hudon en 1875, à Rimouski. En 1877, il était promu inspecteur adjoint au service des postes canadiennes qui l'employaient depuis dix ans. Éva et Gertrude Nelligan, les deux sœurs d'Émile, naîtront l'une en 1881 et l'autre en 1883.

Aîné de la famille et fils unique, Émile Nelligan fait des études médiocres dans les meilleures écoles de son milieu. Sa mère veille à son éducation en privilégiant la musique et la poésie. Les biographes du poète s'entendent pour accorder un rôle important à cette femme sensible et cultivée en ce qui a trait à l'épanouissement du talent littéraire de son fils. À l'exception de quelques succès en latin, en anglais et en composition française, l'écolier ne semble pas s'être beaucoup intéressé aux autres matières scolaires. Ses parents sont obligés de le changer de collège trois fois en quatre ans, sans réussir à lui faire franchir la classe de syntaxe, la deuxième année du cours classique. Émile Nelligan abandonne ses études à dix-sept ans, provoquant la colère paternelle. Le haut fonctionnaire du service postal ne peut convaincre son fils d'accepter un emploi rémunéré, l'adolescent s'entêtant à vouloir se consacrer exclusivement à la poésie. De 1896 à 1899, il rédige, en effet, les quelque deux cents poèmes qui constitueront son œuvre.

Le milieu social d'Émile Nelligan est celui d'une famille bilingue et biculturelle, milieu qui recoupe parfaitement la réalité de la bourgeoisie montréalaise. L'appui de sa mère, fille d'un avocat qui comptait parmi les notables de Rimouski, sa ville natale, et les résistances de son père contribuent à diviser le foyer du poète, conflit qui se double d'une situation œdipienne puisque le choix de la langue maternelle comme langue d'écriture est lourd de conséquences pour celui qui, selon certains témoignages, n'hésitait pas à désigner son père anglophone comme un étranger dans la maison. La crise progresse jusqu'à son dénouement, le 9 août 1899, jour où David Nelligan fait interner le jeune homme à l'asile Saint-Benoît-Joseph-Labre. Émile est alors déclaré schizophrène. On peut penser que ce diagnostic a d'abord été motivé par la «vie de bohème» du fils de bonne famille, qui passait ses nuits blanches à l'écoute des muses, au lieu de choisir un état qui fasse honneur au nom du père. Il arrivait aussi que, entraîné par des élans mystiques, Émile Nelligan se laissât enfermer dans les chapelles désertes après l'heure de fermeture. Ces comportements constituaient autant de menaces pour la respectabilité de ses parents.

Il n'est pas sans intérêt de relever qu'il n'existe aucun témoignage du déséquilibre psychologique d'Émile Nelligan avant ces événements. On peut comprendre la «folie» du poète par une phrase de Léon Gérin: «Il n'y a pas de carrière pour le poète au Canada, et il serait cruel de nourrir vos illusions à ce sujet.» L'auteur adresse cette mise en garde aux jeunes littérateurs du début du siècle dans un texte intitulé *Notre mouvement intellectuel*[1]. Henry Desjardins, l'un des compagnons de Nelligan, écrivait en 1899, comme pour faire amende honorable: «La littérature n'est qu'un moyen intelligent d'occuper des loisirs, ce n'est pas un métier[2]...» Ces déclarations très caractéristiques de la culture canadienne-française de l'époque peuvent atténuer la responsabilité qu'on a voulu faire porter à David Nelligan en ce qui concerne le sort de son fils. L'attitude du père est commandée par les valeurs de la société montréalaise alors imprégnée de libéralisme. En somme, la petite phrase de Léon Gérin, qu'on ne soupçonnera pas d'anglomanie, illustre le discours de l'immigrant irlandais interdisant l'activité poétique de son fils. La suite n'est qu'une longue descente dans la déchéance mentale. Mme Nelligan fait ses adieux à son fils en lui rendant visite pour la première et la dernière fois en novembre 1902, plus de trois ans après l'entrée de ce dernier à l'asile. Il semble que David Nelligan soit mort, le 11 juillet 1924, sans avoir revu son fils. L'année suivante, le patient est admis à l'hôpital

---

1. Cité par Jacques Michon dans *Émile Nelligan Les racines du rêve,* Montréal, Les Presses de l'Université de Montréal/Les Éditions de l'Université de Sherbrooke, 1983, p. 29.
2. Cité par Laurent Mailhot et Pierre Nepveu dans leur anthologie, *La Poésie québécoise,* Montréal, L'Hexagone, collection «Typo», 1990, p. 12.

Saint-Jean-de-Dieu. Il meurt au sanatorium Bourget, le 18 novembre 1941.

Tels sont les faits connus de ce destin tragique : à peine amorcée, la carrière du plus original et du plus doué des poètes québécois de son siècle est interrompue en plein essor. Dès lors, tous les éléments sont réunis pour former ce qu'on appellera le mythe de Nelligan. Celui qui rêvait « de planer au divin territoire » a ainsi passé quarante-deux ans de sa vie en institution psychiatrique. Pourquoi alors parler du mythe de Nelligan ? Parce que cette suite d'événements — où le génie, la folie et la littérature nationale se rencontrent — était sans doute trop chargée de signification aux yeux de ceux qui en ont été les témoins. La discrétion masquant ce scandale et la publicité entourant plus tard la découverte de l'œuvre s'entremêleront pour aboutir à la renommée du malheureux enfant prodige. Le nom de Nelligan est devenu celui du premier poète québécois, mais la tournure dramatique de son histoire a joué un rôle aussi important que sa poésie dans sa fortune littéraire.

Partiellement publiée par fragments dans les périodiques de l'époque, l'œuvre de Nelligan ne sera révélée que plusieurs années après l'internement de celui-ci à l'asile Saint-Benoît. Au moment où il disparaît brusquement de la scène publique, au mois d'août 1899, seuls les lecteurs de ces périodiques et de rares amis ont eu connaissance de l'activité poétique de Nelligan. Plusieurs y ont vu le drame d'un talent exceptionnel trop tôt miné par la fatalité de son univers intérieur. C'est grâce à l'édition établie par Louis Dantin en 1904, dans des circonstances qui sont résumées plus loin, que le génie précoce de Nelligan sera progressivement reconnu.

L'auteur du *Récital des Anges*[3] ne tenait pas la poésie pour un simple divertissement à l'instar de la plupart de ses contemporains. Rien ne lui était plus indifférent que le souci d'une carrière respectable. L'art était pour lui une véritable religion. Il s'était entièrement voué à la poursuite d'un idéal qui résumait sa conception même de la poésie. Il est certainement le premier au Canada à donner l'exemple d'un tel dévouement à l'écriture poétique. Sa plume n'exprime que ce qui se rapporte à cette quête essentielle, laquelle paraît répondre à une remarque formulée quarante ans plus tôt par le poète Octave Crémazie (1827-1879) : « La littérature d'amateurs ne vaut guère mieux que la musique d'amateurs[4]. » Nelligan a vécu son « Rêve d'artiste » avec une intensité qui étonne lorsque l'on place son expérience en regard de celle des poètes canadiens-français de la fin du XIXe siècle.

Avant la fondation de l'École littéraire de Montréal en 1895, l'inspiration des poètes était patriotique et leurs thèmes préférés s'éloignaient rarement des sujets historiques, des scènes de la vie traditionnelle et des splendeurs de la nature canadienne. La forme versifiée imitait celle des romantiques français, mais on se gardait bien de les suivre dans le domaine des idées sociales ou du lyrisme intimiste. Le goût de la tirade ampoulée et la lourdeur de l'expression caractérisaient la poésie du XIXe siècle québécois, dont seuls quelques morceaux choisis survivent dans

---

3. Titre qu'Émile Nelligan projetait de donner au recueil de ses poèmes, mais il n'a pas eu le temps de terminer le manuscrit avant son internement.

4. Lettre d'Octave Crémazie à l'abbé Henri-Raymond Casgrain, 10 avril 1866.

les anthologies. Depuis l'exil et la mort à Paris d'Octave Crémazie (en 1879, l'année même de la naissance d'Émile Nelligan), les grands représentants de la poésie nationale étaient Pamphile Lemay (1837-1918) et Louis Fréchette (1839-1908), deux écrivains de la génération qui a grandi au lendemain de la révolte des Patriotes. Quand on compare Nelligan à ces deux poètes, l'originalité de l'auteur du «Vaisseau d'or» s'impose d'elle-même : pas un mot sur les héros qui ont exploré le pays et l'ont défendu contre la résistance iroquoise ou la menace anglaise. On peut parcourir tous ses poèmes sans jamais y rencontrer le thème sacré de la survivance nationale. Par contre, les noms antiques d'Athènes, d'Ilion, de Thulé, apparaissent dans un grand nombre de ses vers, à côté de la Norvège exotique et de l'Allemagne romantique. La patrie de Nelligan, c'est l'espace intérieur de son aventure intellectuelle, c'est le royaume supérieur de l'art. Cette aspiration, qui traverse toute son œuvre, n'a rien de commun avec les idées qui inspiraient ses prédécesseurs.

Les poèmes de Nelligan parlent de l'enfance, de l'angoisse, de la mort et de l'atmosphère troublante des chambres closes où rôdent des spectres inquiétants. La musique et la poésie y font l'objet d'un véritable culte. En cela, il appartient à l'école des symbolistes, des parnassiens et des décadents, influences européennes généralement suspectes au Canada français, et ce jusqu'à la veille de la Deuxième Guerre mondiale. Nelligan est en somme celui par qui la poésie, au sens moderne du mot, advient dans une littérature du terroir où l'éloquence tenait lieu d'imagination. La gaucherie et la maladresse de plusieurs pièces côtoient chez lui des vers d'une facture et d'une envolée remarquables, d'une qualité qui va bien au-delà de la prouesse technique.

L'auteur du «Clair de lune intellectuel» est le contemporain de Baudelaire, bien plus que d'aucun versificateur canadien de sa génération ou de celle de ses aînés. «Les Corbeaux» et «Le Chat fatal» doivent davantage à Edgar Allan Poe qu'à l'inspiration historique de *La Légende d'un peuple*[5] (1887).

Parmi les facteurs qui ont favorisé ses dons poétiques, deux méritent d'être retenus: l'amitié qui le lia à Louis Dantin et le milieu propice que Nelligan trouva au sein de l'École littéraire de Montréal, dont il était le plus jeune membre et dont il est resté le plus célèbre représentant. C'est par l'entremise de son ami Arthur de Bussières qu'il avait été admis au sein de ce groupe, le 10 février 1897.

L'École littéraire de Montréal est née le 7 novembre 1895. À son origine se trouve le besoin de regroupement éprouvé par des jeunes gens qui désirent discuter de sujets liés à la langue, à la littérature et à l'art. Jean Charbonneau et Louvigny de Montigny prennent l'initiative de donner une existence officielle à cet intérêt commun, mais le rassemblement n'est ni un cénacle ni un mouvement littéraire, au sens européen du terme: les membres de l'École ne partagent pas le même credo esthétique et ils ne songent pas à publier un manifeste pour exposer leur position intellectuelle, de même qu'ils ne cherchent pas à se démarquer des courants littéraires dominants ni non plus à rompre avec leurs aînés. Au contraire, ils sollicitent et obtiennent la participation des plus célèbres représentants de la littérature nationale. Leur but est moins d'imposer une nouvelle sensibilité ou de modifier les valeurs admises que d'aménager un espace montréalais propice à l'expression artistique.

---

5. Œuvre épique de Louis Fréchette, publiée à Paris en 1887. Le titre est calqué sur *La Légende des siècles* de Victor Hugo.

À partir de la fin de l'année 1898, l'École littéraire de Montréal organise plusieurs séances de lectures publiques dans des salles prestigieuses. La solennité de ces séances témoigne d'une volonté claire d'instituer un lieu où la poésie soit socialement reconnue. Des personnages de marque sont invités à ces événements et les journaux en rendent compte dans leurs pages artistiques. Nelligan y déclame plusieurs poèmes et connaît d'ailleurs un succès retentissant le 26 mai 1899, date de la dernière séance à laquelle il prend part. Louis Dantin a raconté ce triomphe dans sa préface à l'œuvre du poète, en opposant ce couronnement à l'internement survenu quelques mois plus tard. L'ovation que déclenche sa dernière apparition publique montre que sa voix répondait peut-être aux attentes de ses auditeurs. Mais cette heureuse disposition sera de courte durée, comme la carrière de Nelligan.

Après les efforts de ses premiers membres, l'École littéraire de Montréal s'engagera sur la voie du régionalisme et renouera avec la tradition littéraire du XIXe siècle canadien-français, celle du patriotisme étriqué et du terroir des ancêtres. Les cinq dernières années du siècle marquent donc une exception dans l'histoire de la poésie canadienne-française, puisque certains signes d'ouverture à la modernité y apparaissent clairement. Le passage de Nelligan coïncide également avec un bref moment de libéralisme politique qui rompt avec le conservatisme dominant avant comme après la fin du XIXe siècle.

Un siècle plus tard, pourquoi lire Nelligan et comment le lire? Parle-t-il encore aux lecteurs d'aujourd'hui qui ont le choix entre des poètes tels Alain Grandbois, Hector de Saint-Denys Garneau, Rina Lasnier, Jacques Brault et Gaston Miron, entre autres? Si la poésie n'a cessé d'être le principal genre dans lequel la littérature québécoise a voulu mettre à l'épreuve son projet jusqu'à la Révolution tranquille, l'œuvre de Nelligan a certainement été la première à relever le défi. Après 1960, c'est le roman qui prend le relais en tant que genre littéraire dominant, et la poésie de Nelligan en devient une référence majeure, par exemple chez les romanciers Marie-Claire Blais et Réjean Ducharme, dont plusieurs héros sont les héritiers directs du «sinistre frisson des choses» cher au poète.

Une tradition littéraire toujours vivante s'attache ainsi à la poésie de Nelligan, laquelle conserve sa puissance d'évocation. Au nombre de ses qualités, il faut sans doute parler du vertige douloureusement ambigu d'une «oisive jeunesse» d'inspiration rimbaldienne, dont les accents sont pourtant tout à fait inédits: «Qu'est-ce que le spasme de vivre / À la douleur que j'ai, que j'ai!» On ne saurait lire Nelligan sans rencontrer aussitôt son mythe ou le réinventer, car son destin n'est pas étranger à l'écho répercuté par ses poèmes, dans lesquels il est difficile de ne pas entendre l'expression d'une profonde détresse. Tout ce qu'on a dit de sa vie ou écrit à son sujet s'est insinué dans la lecture qu'on peut faire de son œuvre. Laurent Mailhot l'admet sans détour: «On n'en aura jamais fini avec Nelligan. [...] Nelligan est tous les poètes: maudit, sacré, incompris, étudié, célébré, romantique, classique et moderne[6].»

Le nom de Louis Dantin, premier protagoniste de la révélation publique de son œuvre, est si indissociable de celui d'Émile Nelligan qu'on ne saurait lire le poète sans passer par le travail critique et éditorial de Dantin. Auteur

---

6. «Nelligan *revisited*», dans *Ouvrir le livre*, Montréal, L'Hexagone, 1992, p. 61.

d'une étude sur Nelligan publiée en 1902, il a joué un rôle capital dans la fortune littéraire de Nelligan. Son apport a tout de suite eu des répercussions considérables, que Paul Wyczynski résume en ces termes :

> L'étude de Dantin a suscité une réaction en chaîne... La réception de Nelligan commença avant même que son œuvre soit publiée. Dantin jetait du haut de sa chaire clandestine les bases d'une interprétation solide, qui allait être reprise et remodulée par plusieurs générations. [...] On peut donc dire que, dès l'automne 1902, l'œuvre de Nelligan a été présentée au public avec tout le sérieux d'un discours critique bien articulé[7].

La première forme de l'étude de Dantin a d'abord paru dans une série d'articles du journal montréalais *Les Débats*, du 17 août au 28 septembre 1902, sous le titre « Émile Nelligan ». C'est l'un des grands textes de la critique littéraire québécoise. Il brosse le portrait du poète, fait une analyse détaillée de son œuvre et en explique l'importance dans le contexte littéraire de l'époque. Lorsque Dantin publie ensuite son choix des meilleurs poèmes nelliganiens en 1904, les articles de 1902 sont repris comme préface d'*Émile Nelligan et son Œuvre*, recueil qui constitue l'édition princeps. Cette préface est importante à plusieurs titres. On lui doit notamment l'image du génie foudroyé en pleine jeunesse, victime de la Névrose et martyr de l'Idéal. Lié à la révélation de certains poèmes — on pense évidemment au « Vaisseau d'or » —, le point de vue de Dantin est un élément important de la naissance du mythe qui a entouré la première lecture de l'œuvre, mais il s'agit également d'une

---

7. Paul Wyczynski, *Nelligan 1879-1941. Biographie*, Montréal, Fides, collection « Le Vaisseau d'Or », 1987, p. 357 et 360.

des premières manifestations de la critique littéraire québécoise, parce que la forme et la pensée poétiques de Nelligan y sont rigoureusement examinées, sans préjugé ni complaisance.

Dantin adopte un ton volontiers prophétique dans son texte, mais il n'hésite pas à se montrer sévère quand il s'agit d'évaluer les limites de l'entreprise poétique et de faire voir les défauts qui entravent l'expression du poète. Une autre raison de l'intérêt de sa préface, c'est qu'elle énonce clairement le projet d'apprécier par nous-mêmes les œuvres littéraires canadiennes, au lieu de les juger selon les critères de la littérature française et d'attendre que le public d'outre-mer daigne les lire. Dans la lignée des pionniers de la critique littéraire québécoise, l'œuvre de Louis Dantin (1865-1945) s'inscrit à côté de celle de l'abbé Camille Roy (1870-1943), sans partager toutefois les positions régionalistes de celui-ci.

De son vrai nom Eugène Seers, Louis Dantin est un prêtre de la compagnie du Saint-Sacrement. Il a fait de solides études en Europe où s'est éveillé son goût de la poésie. Après avoir quitté la vie religieuse et s'être exilé à Boston en 1903, il deviendra l'un des critiques les plus influents de la littérature canadienne-française entre 1920 et 1940. Mais au début du siècle, à l'époque de ses travaux sur Nelligan, le nom de Dantin est aussi obscur que celui du poète qu'il allait consacrer. Les deux hommes s'étaient rencontrés quelques années plus tôt.

Le 16 avril 1896, au cours d'une soirée paroissiale organisée au profit d'œuvres charitables, Nelligan récite « Le Retour » de Pamphile Lemay. Le jeune homme a alors seize ans et Louis Dantin, trente-quatre. Il semble que ce soit là leur première rencontre. Environ deux mois plus tard,

Nelligan publiera son premier poème, signé du pseudonyme Émile Kovar : «Rêve fantasque» paraît dans l'hebdomadaire *Le Samedi* du 13 juin 1896. En octobre 1898, Dantin publie lui-même un poème de Nelligan, «Les Déicides», dans les pages du bulletin religieux de sa communauté, *Le Petit Messager du Très-Saint-Sacrement*. Enfin, au cours de la dernière séance publique de l'École littéraire de Montréal à laquelle Nelligan participe, le 26 mai 1899, Dantin est témoin du triomphe de sa «Romance du vin».

Telles sont les principales traces de la relation des deux amis, auxquelles s'ajoutent certaines confidences contenues dans la correspondance de Dantin et le témoignage de sa préface. Celle-ci montre, tant par les informations qui s'y trouvent que par le ton adopté, une intimité certaine entre le poète et le critique. En 1903, Dantin devait décider d'éditer les manuscrits de Nelligan, ne retenant que ce qu'il estimait être le meilleur. Il voulait en tirer un recueil digne de faire connaître la poésie de son protégé. Luc Lacourcière, en 1952, résumait ainsi l'aventure de cette publication :

[...] cette première édition ne se fit pas sans difficultés, ni vicissitudes. La préparation du manuscrit alla assez bien. [...] Mais il y eut bientôt des empêchements et des délais. Ces ennuis vinrent de la partie matérielle du travail, car Dantin — ce que l'on ignore — ne fut pas seulement le préfacier et le compilateur de l'œuvre : il en fut aussi l'éditeur et le typographe. Sa communauté, avons-nous dit, l'employait aux travaux de rédaction et d'impression d'une petite revue. C'est donc dans l'atelier du *Petit Messager du Très Saint-Sacrement* qu'il avait commencé, à l'insu de ses supérieurs, la composition typographique du recueil. On imagine bien qu'il ne devait pas être facile, dans une petite imprimerie, de dissimuler longtemps la matière d'une telle entreprise sans attirer l'attention des indiscrets. Et il arriva ce qui devait fatalement arriver. La découverte de l'édition clandestine allait de nouveau bouleverser la vie de Dantin. L'incident, s'il ne fut pas la cause unique et profonde, fit du moins l'occasion de son départ pour Cambridge, en octobre 1903. [...]

Il avait cependant conduit son projet d'édition assez loin pour que d'autres après lui pussent le mener à bonne fin[8].

Émile Nelligan et son Œuvre paraît finalement à la Librairie Beauchemin en 1904. Réédité plusieurs fois jusqu'en 1945, le livre est cependant introuvable depuis longtemps. C'est cette première édition, établie par Louis Dantin, que nous avons donc reproduite, parce que c'est la seule qui soit appuyée sur les manuscrits. Ceux-ci n'ont jamais été retrouvés, à quelques rares exceptions. En plus de nous restituer la poésie de Nelligan dans toute sa fraîcheur, cette édition comprend la célèbre préface de Dantin, qui constitue, comme on vient de le dire, non seulement le fondement de toutes les études sur Nelligan, mais un véritable chef-d'œuvre de critique et d'amitié littéraires.

Seuls une vingtaine de poèmes de Nelligan avaient été publiés avant 1899. Trois ans plus tard, l'étude de Dantin parue dans *Les Débats* fait l'effet d'une révélation. En 1904, la publication d'*Émile Nelligan et son Œuvre* rend le texte nelliganien accessible aux lecteurs des générations qui suivent. Le rôle déterminant du premier éditeur et sa loyauté sont reconnus des spécialistes qui croient généralement que les modifications apportées par Dantin se sont limitées à des interventions mineures. L'éditeur avait été témoin de la genèse des poèmes de son ami. Il avait assisté et participé à

---

8. Luc Lacourcière, Introduction aux *Poésies complètes* d'Émile Nelligan, Montréal, Fides, collection du «Nénuphar», 1952, p. 19-20.

leur élaboration, sans qu'il soit désormais possible de savoir dans quelle mesure. Il a prodigué ses conseils à Nelligan, peut-être orienté ses lectures, lu et corrigé ses vers, discuté ses sujets et affiné son style. La correspondance du critique ne cache pas la part qu'il a prise à l'aventure poétique de Nelligan. Gabriel Nadeau cite cette lettre de Dantin adressée à Germain Beaulieu le 30 avril 1938 :

> Je ne sais plus guère à quelle occasion précise nous nous rencontrâmes d'abord. Je crois qu'il vint m'apporter une pièce de vers pour une petite revue religieuse que je dirigeais alors : j'étais encore dans cette communauté que vous savez. Je m'intéressai tout de suite à son talent manifeste, et l'invitai à revenir me voir. Nous fûmes depuis lors très bons amis, et je ne crois pas qu'il ait composé rien sans venir me le dire. Cette pièce, *Les Déicides,* qui figure dans ses œuvres, c'est à ma suggestion qu'il la composa ; bien plus, *en compétition avec moi.* [...] Je crois être un des derniers qu'ait visité Nelligan avant le choc qui le terrassa[9]...

Ce choc, nul n'en a mieux ressenti l'ébranlement que Dantin lui-même. La secousse est inscrite dans la préface d'*Émile Nelligan et son Œuvre.* Le préfacier ne s'est pas contenté de déplorer la perte d'un talent hors pair : il a fait le pari gagnant de transformer cet échec personnel en victoire poétique, la première de cette envergure pour la littérature nationale.

Comment imaginer ce que serait la littérature québécoise sans cette œuvre ? Car si nous connaissons aujourd'hui le nom de Nelligan et si sa poésie continue de nous parler par-delà « l'abîme du Rêve », c'est à nul autre que

---

9. Louis Dantin, *Poèmes d'outre-tombe,* Trois-Rivières, Éditions du Bien Public, 1962, p. 129-130. C'est l'auteur qui souligne.

Louis Dantin que nous en sommes redevables. Sans son dévouement, il est très probable que l'œuvre de Nelligan n'aurait jamais été connue du public.

Réjean Beaudoin
Vancouver, novembre 1995.

Chronologie

1879 Le 24 décembre, naissance à Montréal d'Émile Nelligan, fils de David Nelligan et d'Émilie Amanda Hudon. Il est baptisé le lendemain à l'église Saint-Patrick.

1881 Le 29 octobre naît Éva Nelligan, sœur d'Émile.

1883 Le 22 août naît Gertrude Nelligan, deuxième sœur d'Émile.

1885 Émile commence son instruction primaire chez les frères des Écoles chrétiennes à l'Académie de l'archevêché.

1886 Premières vacances d'été en famille à Cacouna, près de Rivière-du-Loup. À la rentrée, Émile fréquente l'école Olier dirigée par les sulpiciens.

1890 Émile doit reprendre sa troisième année. Le 2 septembre, il est admis au collège Mont-Saint-Louis.

1893 En septembre, Émile entre au Petit Séminaire de Montréal, où ses résultats scolaires ne s'améliorent guère.

1895 Le 7 novembre, fondation de l'École littéraire de Montréal, regroupement de jeunes gens intéressés par la langue, l'art et la littérature.

1896   Le 2 mars, Émile Nelligan est accepté en classe de syntaxe au collège Sainte-Marie, dirigé par les jésuites. Le 6 avril, il accompagne sa mère à un concert du pianiste Ignace Paderewski. Il aurait fait la connaissance du père Eugène Seers (Louis Dantin) le 16 avril, lors d'un bazar paroissial où il récite « Le Retour » de Pamphile Le May. Le 13 juin, l'hebdomadaire *Le Samedi* publie le premier poème de Nelligan, « Rêve fantasque », signé du pseudonyme Émile Kovar. Au cours des mois suivants, huit autres poèmes de lui sont publiés dans *Le Samedi* sous le même pseudonyme. À la rentrée, il reprend la classe de syntaxe au collège Sainte-Marie. En décembre, premiers contacts de Nelligan avec l'École littéraire de Montréal, grâce à son ami Arthur de Bussières.

1897   Le 10 février, il devient membre de l'École littéraire de Montréal. Le 25 février, il participe pour la première fois à une réunion du groupe. Il abandonne ses études au collège Sainte-Marie. Le 29 mai, *Le Monde illustré* publie le sonnet « Vieux piano », signé Émil Nellighan. Quatre autres poèmes paraissent dans cet hebdomadaire au cours de l'été.

1898   En octobre, Louis Dantin publie « Les Déicides » de Nelligan dans *Le Petit Messager du Très-Saint-Sacrement*. Le 29 décembre, Nelligan participe à la première séance publique de l'École littéraire de Montréal, au Château Ramezay, en récitant trois poèmes. Louis Fréchette, président honoraire de l'École, lit son drame *Veronica*.

1899   Au début de l'année, Nelligan note, sous le titre « Récital des Anges », le plan d'un projet de recueil de ses poèmes. (Un autre plan plus détaillé, sous le titre « Motifs du Récital des Anges », a aussi été retrouvé.) Nelligan assiste aux réunions de l'École littéraire de Montréal et participe à sa deuxième séance publique au Monument national, le 24 février. Le 11 mars, paraît la sévère recension du critique français E. de Marchy dans les pages du *Monde illustré*. Le 26 mai, au cours de la quatrième séance publique de l'École, Nelligan répond à son détracteur en récitant « La Romance du vin », poème qui soulève l'enthousiasme de la salle. Le célèbre sonnet « Le Vaisseau d'Or » date de l'été de cette même année. Le 9 août, le poète est interné à l'asile Saint-Benoît-Joseph-Labre, à Longue-Pointe. Le secret entourant cet événement inquiète ses amis qui publient un avis de recherche dans *Les Débats* du 3 décembre.

1900   En mars paraît un recueil collectif préparé par les membres de l'École littéraire de Montréal, *Les Soirées du Château de Ramezay,* qui comprend dix-sept poèmes de Nelligan.

1902   Du 17 août au 28 septembre, Louis Dantin publie en cinq livraisons, dans *Les Débats,* une étude intitulée « Émile Nelligan ». Il mettra ensuite en œuvre le projet de rassembler les meilleurs poèmes de Nelligan pour les publier. Il a en main les manuscrits de son ami.

1903   Le 25 février, Dantin quitte brusquement la vie religieuse et s'exile aux États-Unis. Il affirme dans sa correspondance qu'il a rendu les manuscrits édités par lui ainsi que la moitié du recueil imprimé à la famille Nelligan. En mars et en avril, *La Revue canadienne* et *La Patrie* annoncent successivement la parution du recueil qu'il préparait.

1904   En février, publication d'*Émile Nelligan et son Œuvre* à la Librairie Beauchemin. La page de titre porte la date de 1903. L'étude de Louis Dantin, parue dans *Les Débats* en 1902, est reprise en tant que préface au recueil. La Librairie Beauchemin achève l'impression du livre commencée par Dantin à la demande de la mère de Nelligan et du poète Charles Gill.

1905   En janvier, le critique français Charles ab der Halden publie un article intitulé « Un poète maudit : Émile Nelligan », dans *La Revue d'Europe et des Colonies* (article repris en 1907 dans ses *Nouvelles études de littérature canadienne-française*). Au mois de février, deux comptes rendus d'*Émile Nelligan et son Œuvre* paraissent à Paris et à Bruxelles, l'un signé par Charles-Henry Hirsch, dans *Le Mercure de France*, l'autre par Franz Ansel, dans *Durandal*.

1906   Guillaume Lahaise, étudiant en médecine, rend visite à Émile Nelligan à la Retraite Saint-Benoît.

1910   Guy Delahaye (pseudonyme de Guillaume Lahaise) publie son recueil de poèmes *Les Phases,* dédié au « Génie éternellement vivant de Nelligan ».

1913   Le 6 décembre, mort de Mme Nelligan, née Émilie Hudon, à l'âge de cinquante-sept ans.

1920   Publication de l'*Anthologie des poètes canadiens* de Jules Fournier et d'Olivar Asselin : Nelligan y occupe la première place avec dix-huit poèmes.

1924   Le 11 juillet, mort de David Nelligan, père du poète, à l'âge de soixante-seize ans.

1925   Émile Nelligan passe trois jours dans la famille de son beau-frère, Émile Corbeil, du 20 au 23 octobre, jour de son admission à l'hôpital Saint-Jean-de-

Dieu. Parution de la deuxième édition d'*Émile Nelligan et son Œuvre* aux éditions Édouard Garand.

1927 Le poète franco-américain Rosaire Dion-Lévesque se rend à l'hôpital Saint-Jean-de-Dieu pour voir Nelligan.

1932 Nelligan sort de l'hôpital une journée, à l'été, et est reçu chez le juge Gonzalve Desaulniers, à Ahuntsic. En septembre paraît la troisième édition d'*Émile Nelligan et son Œuvre* (imprimerie Excelsior), augmentée de notes du père Thomas-M. Lamarche.

1938 Dans deux livraisons consécutives de mars et de mai, les *Pamphlets de Valdombre* (Claude-Henri Grignon) attaquent violemment Nelligan et son éditeur, Louis Dantin; les deux articles s'intitulent : «Marques d'amitié» et «Louis Dantin, dit le vieillard cacochyme».

1941 Le 11 novembre, Émile Nelligan subit une opération à la prostate. Le 18 novembre, il meurt au sanatorium Bourget, à l'âge de soixante-deux ans et onze mois. Le 21 novembre, funérailles à la chapelle de l'hôpital, suivies de l'inhumation au cimetière de la Côte-des-Neiges.

1945 Le 17 janvier, Louis Dantin meurt à Boston, âgé de soixante-dix-neuf ans. Sous le titre *Poésies,* la quatrième édition du recueil de Nelligan est publiée aux éditions Fides, avec des altérations.

1952 Parution de l'édition critique chez Fides des *Poésies complètes 1896-1899* d'Émile Nelligan, texte établi et annoté par Luc Lacourcière.

1966 Le Département de langue et littérature françaises de l'Université McGill organise un colloque à l'occasion du vingt-cinquième anniversaire de la mort du poète.

1973   Paul Wyczynski publie une *Bibliographie descriptive et critique d'Émile Nelligan* aux éditions de l'Université d'Ottawa.

1979   Création du prix Émile-Nelligan par Gilles et Maurice Corbeil, à l'occasion du centenaire de la naissance du poète.

1983   Publication par Jacques Michon d'*Émile Nelligan. Les racines du rêve*, étude critique qui reproduit des textes écrits par le poète à l'hôpital et qui en propose une analyse.

1991   Colloque international tenu au Centre de recherche en civilisation canadienne-française de l'Université d'Ottawa, à l'occasion du lancement des *Œuvres complètes*, en deux volumes, soulignant le cinquantième anniversaire de la mort du poète.

Bibliographie

1. Œuvres d'Émile Nelligan

Émile Nelligan et son Œuvre (Louis Dantin, éd.), Montréal, Librairie Beauchemin, 1903 (parue en 1904), XXXIV-164 pages.

Émile Nelligan, *Poésies complètes*, texte établi et annoté par Luc Lacourcière, Montréal, Fides, collection du « Nénuphar », 1952, 331 pages.

Émile Nelligan, *Œuvres complètes* (2 vol.), édition critique établie par Réjean Robidoux et Paul Wyczynski (vol. I : *Poésies complètes 1896-1941*) et par Jacques Michon (vol. II : *Poèmes et textes d'asile 1900-1941*), Montréal, Fides, collection « Le Vaisseau d'Or », 1991, 646 pages et 615 pages.

2. Études sur Émile Nelligan

Charles ab der Halden, « Émile Nelligan », dans *Nouvelles études de littérature canadienne-française*, Paris, Rudeval, 1907, p. 339-377. Texte repris dans Marie-Andrée Beaudet, *Charles ab der Halden, Portrait d'un inconnu*, Montréal, l'Hexagone, 1992, p. 191-223.

Olivar Asselin, « M. Émile Nelligan », dans *Les Débats,* Montréal, 6 mai 1900. Texte repris dans le recueil *Pensée française* (1937), Montréal, Fides, collection du « Nénuphar », 1993, p. 6-7.

André Beaudet, « Nelligan's Fake (le nom de Nelligan)», dans *La Nouvelle Barre du jour,* Montréal, n° 104, juin 1981, p. 89-104.

Gérard Bessette, *Une littérature en ébullition,* Montréal, Éditions du Jour, 1968, p. 25-85.

Michel Biron, « Nelligan : la fête urbaine », dans *Études françaises,* Montréal, vol. 27, n° 3, hiver 1991, p. 51-63.

Michel Biron, « La romance du libéralisme : poésie et roman au tournant du siècle », dans Pierre Nepveu et Gilles Marcotte (dir.), *Montréal imaginaire : Ville et littérature,* Montréal, Fides, 1992, p. 149-209.

Nicole Bourbonnais, « Ducharme et Nelligan : l'intertexte et l'archétype », dans Pierre-Louis Vaillancourt (dir.), *Paysages de Réjean Ducharme,* Montréal, Fides, 1994, p. 167-197.

Bernard Courteau, *Nelligan n'était pas fou!,* Montréal, Louise Courteau éditrice, 1986, 154 pages.

Louis Dantin, « Émile Nelligan », dans *Les Débats,* Montréal, 3e année, n°s 143-149, livraisons du 17 août au 28 septembre 1902. Ce texte révisé paraît ensuite comme préface de l'édition princeps établie par Louis Dantin, *Émile Nelligan et son Œuvre* (1904).

Jean Éthier-Blais (dir.), *Émile Nelligan : poésie rêvée et poésie vécue,* Montréal, Le Cercle du Livre de France, 1969, 192 pages.

André Gervais, « Le Vaisseau d'Or » : texte et après-texte. Codicilles », dans *Protée*, Montréal, vol. 15, n° 1, hiver 1987, p. 31-43.

Yolande Grisé, Réjean Robidoux et Paul Wyczynski (dir.), *Émile Nelligan cinquante ans après sa mort*, Montréal, Fides, 1993, 352 pages.

Jean Larose, *Le Mythe de Nelligan*, Montréal, Quinze, collection « Prose exacte », 1981, 141 pages.

Pierre H. Lemieux, *Nelligan amoureux*, Montréal, Fides, 1991, 287 pages.

Laurent Mailhot, « Nelligan *revisited* », dans *Solitude rompue*, textes réunis par Cécile Cloutier-Wojciekowska et Réjean Robidoux en hommage à David Hayne, Ottawa, Éditions de l'Université d'Ottawa, 1986, p. 257-266 ; ce texte est repris dans Laurent Mailhot, *Ouvrir le livre*, Montréal, L'Hexagone, 1992, p. 61-70.

Jacques Michon, *Émile Nelligan : Les racines du rêve*, Montréal et Sherbrooke, Les Presses de l'Université de Montréal/Les Éditions de l'Université de Sherbrooke, 1983, 178 pages.

Jacques Michon, « La réception de Nelligan de 1904 à 1941 », dans *Protée*, Montréal, vol. 15, n° 1, hiver 1987, p. 23-29.

Jacques Michon, « La réception de l'œuvre de Nelligan, 1904-1949 », dans *Problems of literary reception /Problèmes de réception littéraire*, edited by E. D. Blodgett and A. G. Purdy, Edmonton, Research Institute for Comparative Literature, University of Alberta, 1988.

Aude Nantais et Jean-Joseph Tremblay, *Portrait déchiré de Nelligan*, Montréal, L'Hexagone, 1992, 117 pages.

Réjean Robidoux, *Connaissance de Nelligan*, Montréal, Fides, 1992, 183 pages.

Réjean Robidoux et Paul Wyczynski (dir.), *Crémazie et Nelligan*, actes d'un colloque tenu en octobre 1979 pour commémorer le centenaire de la mort de Crémazie et de la naissance de Nelligan, Montréal, Fides, 1981, 188 pages.

Camille Roy, «M. Émile Nelligan», dans *Tableau de l'histoire de la littérature canadienne-française*, Québec, Imprimerie de L'Action nationale, 1907, p. 28.

Paul Wyczynski, *Nelligan 1879-1941. Biographie*, Montréal, Fides, collection «Le Vaisseau d'Or», 1987, 632 pages.

3. Études sur Louis Dantin

Placide Gaboury, *Louis Dantin et la critique d'identification*, Montréal, Hurtubise HMH, 1973, 263 pages.

Yves Garon, *Louis Dantin*, Montréal, Fides, collection «Classiques canadiens», 1968, 96 pages.

Yves Garon, «Louis Dantin aux premiers temps de l'École littéraire de Montréal», dans *Archives des lettres canadiennes*, tome II, *L'École littéraire de Montréal*, Montréal, Fides, 1963, p. 257-270.

Gabriel Nadeau, *Louis Dantin. Sa Vie et son Œuvre*, Manchester, N.-H., Éditions Lafayette, 1948, 253 pages.

Table des matières

MISE EN PAGES ET TYPOGRAPHIE :
LES ÉDITIONS DU BORÉAL

CE TROISIÈME TIRAGE A ÉTÉ ACHEVÉ D'IMPRIMER EN FÉVRIER 1999
SUR LES PRESSES DE L'IMPRIMERIE L'ÉCLAIREUR
À BEAUCEVILLE (QUÉBEC).